DE ZOON VAN SOFIE

Karin Peters

De zoon van Sofie

Westfriesland

Eerste druk in deze uitvoering 2007

www.kok.nl

NUR 344
ISBN 978 90 205 2832 9

Omslagillustratie: Jack Staller
Omslagontwerp: Van Soelen, Zwaag

HOOFDSTUK 1

Toen Sofie Berkhorst voor het eerst thuiskwam met haar nieuwe vriend Jean Luc van Schagen, was haar twee jaar oudere zus Linde stomverbaasd. Jean Luc was niet het type waar Sofie gewoonlijk mee optrok. Bovendien was hij heel wat ouder, en op die leeftijd - Sofie was net achttien jaar - maakte dat nogal een verschil. Evenals haar ouders, Ine en Paul Berkhorst, ging ze er echter van uit dat het tijdelijk zou zijn. Sofie was immers nog veel te jong om zich te binden. Ze was rusteloos en wisselde nogal eens van vriendjes. Maar dit bleek anders te zijn. Buiten Jean Luc bestond er niets en niemand meer voor Sofie. „Ze lijkt wel verslaafd," zei haar vader, niet vermoedend hoe deze opmerking later op zijn dochter van toepassing zou zijn.

Jean Luc leek even verliefd te zijn als Sofie. Soms had Linde gewoon een beetje last van jaloezie als ze die twee samen zag. Niet dat ze zelf geen vriendjes had, maar ze wist zeker dat ze nog nooit dergelijke overrompelende gevoelens had gekend als Sofie.

Ze verdacht Jean Luc er van dat zijn ijdelheid gestreeld werd door de aanbidding van een achttienjarige. Hij was zelf al vijfentwintig. Sofie bestormde hem met haar genegenheid, luisterde naar elk woord dat uit zijn mond kwam of het gesmolten goud was.

Soms probeerde moeder Ine met haar dochter te praten, zei haar dat ze nog eens wat verder moest rondkijken. Er waren meer mannen, en genoeg van haar eigen leeftijd.

Jean Luc had een baan als reisleider en deed een studie Spaans, terwijl Sofie nog niet eens haar havo-diploma had gehaald. Ze vond dit niet nodig omdat ze toch alleen maar bij Jean Luc wilde zijn. „Er is niemand zoals hij en we gaan toch gauw samenwonen," zei ze stellig.

Ine zuchtte dan maar eens en hoopte van harte dat Jean Luc verstandiger zou zijn. Dat was hij echter niet.
Sofie haalde op het nippertje haar diploma en zocht direct werk. Ze kwam terecht in een kledingboetiek, waar ze met haar mooie figuurtje en roodbruine krullen direct de aandacht trok van een dame die een modellenbureau leidde.
Sofie kreeg af en toe werk als model, waarbij ze goed verdiende. Maar toen kwam de dag dat ze niet langer wilde wachten. Er was een flat vrij boven het reisbureau waar Jean Luc werkte en ze zouden gaan samenwonen.
Ten einde raad vroeg Ine haar oudste dochter: „Praat jij eens met haar. Ze is veel te jong, dit kan nooit goed gaan. Met dat werk van haar en Jean Luc die veel op reis is."
Hoewel Linde wist dat het weinig zou uithalen, ging zij op een avond naar Sofies kamer. Haar zus lag al in bed, maar kwam snel overeind. „Waar heb ik dit bezoek aan te danken?"
„Ik zie je haast nooit," zei Linde, wat de waarheid was. Ze had haar eigen vriendenkring en sinds Jean Luc in Sofies leven was gekomen was er veel veranderd. Linde werkte op een advocatenkantoor en deed intussen een studie rechten.
„Ik hoorde dat je serieuze plannen hebt met Jean Luc," begon ze.
„Dat heb ik al zolang ik hem ken."
„Denk je niet dat het beter is nog wat te wachten met samenwonen?"
„Waarom? We weten dat we altijd bij elkaar blijven. Heeft mam je gestuurd?"
„Ze maken zich zorgen. Je bent pas achttien."
„Hoor eens, ik weet heel goed hoe oud ik ben."
„Net volwassen."
„Alsjeblieft zeg. Gedraag je nou niet als een bejaarde

tante. Wij houden van elkaar en ik heb ergens gelezen dat je geluk moet grijpen als het voor je deur ligt. Ik hoop dat jij dat ook eens ervaart. Maar ja, je lijkt alleen uiterlijk op mij. Jij zou nooit zo volledig voor een man gaan."
Linde dacht dat haar zusje wel eens gelijk kon hebben wat dat laatste betrof. Hoewel ze soms een beetje jaloers was om de wijze waarop Sofie in het leven stond, zou zij zichzelf nooit zo aan iemand kunnen overgeven.
„Ik hoop dat je zo gelukkig blijft," zei ze, wat ze van harte meende. Ze hield van haar zusje en dat was ook de reden waarom ze Jean Luc zoveel mogelijk uit de weg ging. Want hij bezorgde haar iedere keer hartkloppingen. Toen haar moeder vroeg of ze ook eens met Jean Luc wilde praten, weigerde ze eerst. Maar toen ze hem een keer alleen in de tuin trof, begon ze er toch over. „Wil je echt gaan samenwonen of is Sofie degene die doordrijft?" begon ze plompverloren.
„Wat denk je? Dat ik mij tot iets laat dwingen wat ik niet wil?"
Nee, dat dacht ze eigenlijk niet. „Jij bent ouder en wordt geacht verstandiger te zijn. Sofie is nog bijna een kind."
„Vergis je niet. Maar ik ben het met je eens, er moet iemand op haar letten. Daarom is dit de beste oplossing."
„Oplossing? Houd je van haar?"
Hij keek haar doordringend aan en ze kreeg een kleur. Even wilde ze zich aan iets vasthouden, ze leek te wankelen op haar benen. Maar het moment ging voorbij en toen merkte ze pas dat Jean Luc haar bij de arm hield. „Ik houd van haar," zei hij ernstig. „En daarin ben ik niet de enige. Je zus is een geliefd persoontje en als ik haar wil behouden zal ik op haar moeten passen."
„Jean Luc, ze is stapelgek op je," protesteerde ze.
„Dat weet ik," beaamde hij rustig. „Ik ben bijna een obsessie voor haar." Hij legde zijn hand tegen haar wang. „Maar

wat er ook gebeurt, jij zult er altijd voor haar zijn, nietwaar?"
Hij glimlachte even en liep toen van haar weg. Wat bedoelde hij? Vertrouwde hij Sofie niet? Was hij bang dat ze hem ontrouw zou worden? Dat was immers ondenkbaar. Als zijzelf in haar schoenen stond... Ze duwde die gedachte onmiddellijk weg. Ze mocht hem, maar meer ook niet. En zelfs daar was ze nog niet eens zeker van.
Jean Luc en Sofie woonden binnen twee maanden samen. Het leek goed te gaan tussen die twee en Linde stond intussen wat milder tegenover Jean Luc. Toen zijzelf een appartement vond, hielp hij haar met verhuizen. Hij was handig, deed allerlei karweitjes voor haar en het gebeurde zelfs dat ze samen aan het schilderen waren. Samen legden ze ook laminaat. Ze praatten veel samen, over haar werk en studie en hij vertelde over zijn reizen. Soms was Sofie er ook bij. Ze bladerde dan wat in een tijdschrift, voerde lange telefoongesprekken en kroop dicht naast Jean Luc zodra hij even zat.
Op een avond toen Jean Luc bezig was haar badkamer van nieuwe tegels te voorzien, zei Linde: „Je bent onbetaalbaar. Je hebt zoveel voor me gedaan, terwijl ik nooit zo aardig tegen je was."
Hij stond op en keek haar met zijn bruine ogen doordringend aan. „Misschien deed ik het om in een goed blaadje te komen. En ik houd natuurlijk van je."
Ze hapte naar adem. Hij kon niet bedoelen wat ze dacht. Hij glimlachte. „Maar dat weet je immers al lang, Linde. En als ik een schurk was had ik al lang geprobeerd je te verleiden." Hij deed een stap, legde zijn handen op haar schouders en trok haar naar zich toe. Het was een kus die broederlijk begon maar eindigde als een soort explosie. Ze probeerde hem weg te duwen, eerst omdat ze aan Sofie dacht en daarna omdat ze niet meer aan haar dacht.

„Sofie…" bracht ze eindelijk uit.
Hij liet haar abrupt los. „Je hebt gelijk. Ik heb gezworen dat ik zoiets als dit niet zou laten gebeuren. Ik meende dat de gedachte aan Sofie sterk genoeg zou zijn…"
„Maar dat is dus niet zo. Houd je niet meer van haar?" vroeg Linde zacht.
„Natuurlijk wel. In elk geval zoveel dat ik haar geen verdriet wil doen. Jij bent zoveel sterker dan zij."
Dat denk je maar, dacht Linde. Ik zou me het liefst in je armen willen storten.
„Sofie is in verwachting," zei hij dan. Ze kon hem alleen aankijken.
Eindelijk zei ze: „Had maar niets gezegd en gedaan. Je moet nu niet meer komen, Jean Luc."
„Die paar klusjes maak ik nog wel even af. Je hebt gelijk, ik had dit niet mogen doen. Maar ik kan niet zeggen dat ik er spijt van heb."
Hij draaide zich van haar af en ging verder met betegelen. Ze keek naar zijn vaardige gebruinde handen. Hij was van haar zusje en over niet al te lange tijd de vader van Sofies kind. Hoe kon ze het verdragen nu ze dit wist?

Enkele maanden later had Linde een vaste vriend gevonden in Jack Verpoorte. Hij was een serieuze jongeman. Hij werkte op een makelaarskantoor. Vanaf het begin vroeg Linde zich af of zij nu echt verliefd was. Het was niet zoals bij haar zusje, dat wist ze heel zeker.
Toch, toen Jack haar vroeg te gaan samenwonen stemde ze toe. Het was zo gemakkelijk, ze konden goed met elkaar overweg. Bovendien had ze iemand nodig. Zeker sinds ze wist hoe Jean Luc over haar dacht. Ze voelde zich nu veiliger.
Van begin af aan liep het niet echt goed tussen Sofie en Jack. Hij vond haar zusje lichtzinnig; ook was ze in de tijd

van haar zwangerschap erg labiel.
Jean Luc moest in die periode enkele malen op reis en dan kwam Sofie soms bij hen. Jack kon maar met moeite zijn tegenzin verbergen. Maar aangezien haar ouders bezig waren met een huis in Frankrijk en er over dachten daar permanent te gaan wonen, kon Sofie verder nergens heen. En zonder Jean Luc voelde ze zich maar half, zoals ze het uitdrukte. „Ze moet nodig volwassen worden," mopperde Jack.
Toen Robin werd geboren was Jean Luc gelukkig thuis. Hij was enorm blij met zijn zoon en legde Sofie in de watten, zoals Jack het noemde. Maar het onvermijdelijke moment kwam dat hij weer op reis moest. Sofie was in het begin nog wel eens mee geweest, maar sinds haar zwangerschap en na de komst van Robin was dat niet meer voorgekomen. Ze had haar werk ook opgezegd omdat ze meende dat ze haar oude figuur toch niet meer terug zou krijgen. Ze verwaarloosde zichzelf. Het leek of ze geen energie had om goed voor zichzelf te zorgen. Linde nodigde haar zo vaak mogelijk uit. Ze maakte zich ongerust over haar zusje. Zo verliefd als ze was op Jean Luc, zo weinig liet ze zich aan haar zoon gelegen liggen. Toen Linde er iets van zei, was het antwoord: „Ik kan niet leven zonder Jean Luc. Ik voel me eenzaam en ik verveel me."
Toen ze op een dag na een bezoek van enkele uren weer vertrok, zei Jack: „Ze is aan de drugs."
„Doe niet zo belachelijk," antwoordde Linde geschokt.
„Ik heb vaker dergelijke types gezien. Sofie kan het leven niet aan. Als Jean Luc niet zorgt dat hij vaker thuis is vrees ik het ergste."
„Echt waar? Dat zal ik haar vragen," zei Linde beslist.
„Denk je echt dat je dan een eerlijk antwoord krijgt?"
„Je moet je vergissen. Ik heb goed contact met haar, dan zou ik wel iets hebben gemerkt."

„Dat contact komt volgens mij alleen van jouw kant."
Linde zei niets meer. Wat wist Jack van de band tussen haar en Sofie? Hijzelf was enig kind.
Het duurde echter geruime tijd voor ze er met Sofie over kon praten. Bepaalde vragen wist Sofie handig te ontwijken en Linde begon te vrezen dat Jack wel eens gelijk kon hebben.
Op een middag toen ze haar onverwacht opzocht, vond ze Sofie in tranen. „Wat is er aan de hand?" vroeg Linde geschrokken. Ze wist dat Jean Luc al geruime tijd thuis was en meestal was Sofie dan een stuk opgewekter. „Jean Luc gaat maandag alweer weg. Naar Egypte," snikte haar zusje.
„Ik kan er niet meer tegen. Altijd alleen zijn."
„Je hebt Robin toch?" zei Linde, hoewel ze heel goed wist dat een kind van een jaar niet bepaald een volwaardige gesprekspartner was. Sofie antwoordde hier niet op. Toen zag Linde de asbak vol peuken. „Rook je?" vroeg ze.

„Daar lijkt het op," was het onverschillige antwoord.
„Gebruik je... rook je stickies?"
„Soms. Kijk niet zo geschokt. Is het dan beter helemaal weg te zakken in een depressie? De wiet pept me op."
„Wat zegt Jean Luc daarvan?"
„Als het hem ook maar iets interesseerde, zou hij thuisblijven."
Linde besloot met Jean Luc te praten. Het duurde enige tijd voor ze daar inderdaad de gelegenheid toe kreeg. Ze wilde hier niet in het bijzijn van Sofie over beginnen.
Maar op een dag, toen ze wist dat Jean Luc weer terug was van een reis, besloot ze hem op kantoor te bellen.
„Linde, is er iets bijzonders?" Hij klonk verrast. En zijzelf kreeg het alweer heet bij het horen van zijn warme stem. Maar de klank van zijn stem zei niets over zijn karakter,

vertelde ze zichzelf. „Ik wil je spreken," zei ze kortaf.
„Dat kan. Zeg maar wanneer."
„Misschien moet je bij een eventuele afspraak rekening houden met Sofie," zei ze liefjes. „Ik wil liever niet dat zij ervan weet."
„Oké, ik kom vanavond naar je toe. Ik heb een bespreking die om vijf uur begint. Ik kan om zeven uur bij je zijn. Ik heb dan al gegeten."
Dat is maar goed ook, dacht ze. Als hij van mening was dat ze voor hem ging koken, zat hij ernaast.
Ze ruimde de flat op, verplaatste een vaas met bloemen zette deze ook weer terug, legde enkele informatieve tijdschriften op tafel en mikte ze even later weer in de lectuurmand. Wat bezielde haar? Wilde ze indruk op hem maken?
Toen hij tegen zevenen aanbelde had ze zich verkleed in een gemakkelijk zittende lange rok met een bijpassend shirt en gilet.
Toen ze de deur opende bleef hij een moment op de stoep staan, bekeek haar van top tot teen. „Je bent gekleed of je het plan hebt om uit te gaan," zei hij.
„Ik heb dit vaak aan 's avonds," antwoordde ze. Hij liep de kamer in en keek rond. Ze zag dat zijn blik even bleef rusten op de foto van Sofie en haarzelf. Ze hadden deze laten maken voor de vijfentwintigjarige bruiloft van hun ouders. De foto was erg goed gelukt.
„Wat is Sofie veranderd," zei hij zacht.
„Is dat zo?" Ze had het nooit zo gemerkt, maar nu besefte ze dat hij gelijk had. Sofie zag er de laatste tijd slecht uit, ze was vermagerd en de stralende blik was uit haar ogen verdwenen. „Daar wilde ik het over hebben. Ga zitten, wil je koffie?"
„Graag." Hij ging zitten en toen ze even later binnenkwam had hij de foto in zijn handen genomen. „Het is wel triest.

Waarom is ze zo ongelukkig?" zei hij zacht.
„Omdat ze niet zonder jou kan. En jij bent voortdurend op reis," beet ze hem toe. „Sofie kan heel moeilijk alleen zijn. Ze houdt waarschijnlijk te veel van je. Haar gedachten zijn alleen maar op jou gericht."
„Denk je?" Hij legde de foto neer.
„Vertel me niet dat je daarvan niet op de hoogte bent."
„Ik weet dat ze moeilijk alleen kan zijn. Maar ze zit echt niet voortdurend in haar eentje. Er komen nogal wat vrienden over de vloer. Ze gaat in het weekend vaak uit; er is een buurmeisje die oppast."
„Dat heeft allemaal te maken met het feit dat ze eenzaam is. Je kunt haar heus vertrouwen."
„Denk je dat echt?" vroeg hij voor de tweede keer.
„Jean Luc, je moet toch weten hoe belangrijk je voor haar bent. Ze is verloren zonder jou."
„Wat wil je dat ik doe? Een andere baan zoeken?"
„Misschien kan iemand die lange reizen eens van je overnemen," stelde ze voor.
„Het is gebruikelijk dat we iedere reis zelf maken voor we deze proberen te verkopen. Sofie is in het begin vaak mee geweest. Maar nu met Robin gaat dat niet meer. Zij was degene die snel een kind wilde."
„Waarschijnlijk dacht ze dat je dan meer thuis zou zijn. Weet je dat ze aan de drugs is?" flapte ze er meteen maar uit.
„Ik had zo'n vermoeden."
„Je had zo'n vermoeden! En je laat het maar gaan."
„Wat kan ik er aan doen, Linde? Ze is volwassen, al zou je dat gezien haar gedrag niet zeggen. Ook als ik een baan had van negen tot vijf zou ik haar niet altijd onder controle kunnen houden. Wilde je me hierover spreken?"
„Ja. Maar het heeft weinig zin begrijp ik. Houd je eigenlijk wel van Sofie?"

Hij stond op. „Ze doet haar uiterste best om aan mijn genegenheid voor haar een eind te maken."
Ze liep met hem mee naar de deur. „Je bent een egoïst," zei ze ingehouden.
„Dan heb ik de goede partner gevonden," zei hij bitter.
Later overdacht Linde dit hele gesprek. Ze kon niet anders dan concluderen dat Jean Lucs liefde voor Sofie aardig bekoeld was. Hij had het over genegenheid en dat was iets anders dan liefde. Stel dat hij ooit wilde scheiden. Dat zou haar zusje niet aan kunnen.
Aan de andere kant begon Linde in te zien dat een en ander voor Jean Luc ook niet bepaald prettig verliep.
Het leven ging op dezelfde voet verder. Linde en Jack woonden samen. Ze konden het prima met elkaar vinden, behalve als Sofie ter sprake kwam. Jack liet duidelijk merken dat hij Sofie niet mocht, met als gevolg dat haar zusje zelden meer op bezoek kwam.

En toen kwam de dag dat Linde van haar werk thuiskwam en Sofie met Robin aantrof, zittend op de stenen vloer voor haar deur. Ze zag er ziek uit. „Lieve help, Sofie! Wat is er gebeurd?"
Haar zusje kwam moeizaam overeind. Haar ogen waren roodomrand, het mooie roodbruine haar hing in sluike slierten om haar hoofd. Ze beefde. Een verslaafde, schoot het door Linde heen.
„Kom binnen, ik zal een warm bad voor je maken." Ze nam Robin bij de hand. Het jongetje was nu twee jaar. Sofie mikte haar jas op de vloer en stroopte haar mouw op. Tot Lindes ontzetting haalde ze een injectienaald uit haar tas.
„Sofie, dat kun je niet doen," zei ze half smekend.
„Ik heb het nodig om te overleven." zei haar zusje. Even later leek ze weer wat energie te krijgen. „Een bad lijkt me heerlijk. Robin, kom maar bij mama." Het kind liep direct

naar haar toe en kroop bij haar op schoot.
„Je kunt doodgaan aan drugsgebruik," zei Linde.
„Een mens kan dit lang volhouden. En weet je, Jean Luc is weg."
„Is hij weer op reis?" vroeg Linde met een bang vermoeden.
„Ja. Maar nu voorgoed. Naar Amerika. Hij heeft me in de steek gelaten."
„Dat kan ik niet geloven," zei Linde geschrokken.
„Toch is het zo. Ik heb niemand, Linde. Onze ouders zitten de meeste tijd in Frankrijk. Trouwens, zij kijken op me neer omdat ik niet 'van die rotzooi af kan blijven', zoals pa het uitdrukt. En hij weet alleen maar van de stickies. Niet van alle andere spullen."
„Sofie, je maakt jezelf kapot." Er stonden tranen in Lindes ogen.
„Dat weet ik, zusje. Ik ben verslaafd. Ik kan niet meer stoppen. Ik kan ook niet stoppen met van Jean Luc te houden."
„Hij komt wel terug," zei Linde.
„Dat geloof je zelf niet. Wil jij op Robin letten als ik in bad ga?"
Ze verdween in de badkamer en Linde bleef met Robin achter. Hij had dezelfde bruine ogen als zijn vader. Begreep Sofie niet wat ze zichzelf en haar kind aandeed? Als dit van kwaad tot erger ging zou ze haar zoon gaan verwaarlozen. En Jean Luc? Hij liet niet alleen Sofie in de steek maar ook zijn kind. Hoe kon hij!?
Toen Sofie terugkwam, slechts gekleed in een hemdje en een slipje, schrok Linde toen ze zag hoe mager ze was. Op haar rug had ze ruwe rode vlekken die doorliepen tot in haar hals. „Een soort exceem," zei Sofie onverschillig. „Van de heroïne. Heb jij iets warms voor me om aan te trekken?"

Linde zag dat ze beefde. Ze zocht een spijkerbroek die Sofie met een riem moest ophouden en een fleece trui. De tranen schoten haar alweer in de ogen, toen ze Sofies ribben voelde.
„Je lijkt wel een anorexiapatient," zei ze.
„Eigenlijk ben ik dat ook. Dat spul ontneemt je alle eetlust. Nu heb ik toch niet veel geld om eten te kopen. Jean Luc heeft een rekening geopend op mijn naam, maar hij stort slechts één keer per maand een vast bedrag. Dan sta ik zo weer rood. Het spul is zo duur."
Linde zocht in haar portemonnee en portefeuille en kwam tot 150 euro.
„Mag dat wel van Jack?" vroeg Sofie.
„Het is mijn geld. Ik hoef hem geen verantwoording af te leggen," antwoordde Linde kortaf.
„Mooi zo. De ideale man dus. Jammer dat je niet van hem houdt, Linde."
„Jij houdt wel van Jean Luc. Ben je daar gelukkiger door geworden?"
„Niet altijd. Maar er waren momenten om nooit te vergeten."
Linde ging er niet op in. Dergelijke momenten zou ze met Jack nooit kennen. Misschien met niemand. Ze was heel anders dan haar zusje.
Later, toen Jack thuiskwam vertelde ze hem van Jean Lucs vertrek. „Dus hij is eindelijk verstandig geworden. Het is immers een hopeloze zaak met haar. Ze eindigt in de goot, daar zou ik ook niet bij willen zijn."
„Als jij van Sofie hield..." begon ze.
„Dat is wel zeer onwaarschijnlijk. Ik heb nooit begrepen wat Jean Luc in haar ziet. Ze heeft hem gewoon achtervolgd. Dat wordt nu wat moeilijk, vrees ik. Naar Amerika!"
Hij grinnikte.

„Jij hebt totaal geen medelijden, is het wel?" Ze trilde van verontwaardiging. Maar hij leek het niet te merken. „Ik heb niet met mensen te doen die hun ellende aan zichzelf hebben te wijten."
„Weet je dat ik nu niet bepaald iets in jou zie!?" zei ze heftig.
Jack fronste. „Kom Linde, laten we geen ruzie maken om je zus."
„Jij kende Jean Luc ook goed. Hij leek mij een integer persoon."
„Het blijkt dus dat je geen mensenkennis had. Lieve help, Linde, hij is al drie jaar bij Sofie. Ze hebben samen een zoon. Dat zal ook wel niet in overleg zijn gegaan. Sofie had Jean Luc het liefst aan een ketting gelegd. Je moet elkaar tot op zekere hoogte loslaten, daar waren wij het altijd over eens. En laten we er nu over ophouden. Over Sofie krijgen we altijd woorden. Als wij het maar met elkaar kunnen vinden."
Linde zei niets. Er waren momenten om nooit te vergeten, had Sofie gezegd. Zij had dergelijke momenten nooit beleefd met Jack en dat zou waarschijnlijk ook nooit gebeuren.
„Sofie zal mij de komende tijd nodig hebben," zei ze.
„Je weet dat ik haar liever niet hier zie."
„Het spijt me, maar die vrijheid zal ik toch nemen."
„Waarom gaat ze je ouders niet lastig vallen? Die hebben in Frankrijk ruimte genoeg."
„Dat wil ze niet."
„Ze heeft weinig te willen."
Nadat Sofie hen nog een keer was komen opzoeken en Jack haar op zijn botte manier had duidelijk gemaakt hoe stom ze bezig was, kwam ze niet meer. Linde was zo boos dat ze Jack verzocht te vertrekken. „Zodat jij Sofie in huis kunt nemen, zeker! Al je geld zal ze gebruiken voor drugs.

Ik weet heus wel dat je haar geld geeft. Als ze straks op straat zwerft, kun jij voor haar kind zorgen. Ik sta het niet toe."
Linde wist dat Jack ook bezorgd was om haar. Ze liet de zaak even op zijn beloop en hoorde enkele weken niets van Sofie. Ze ging enkele keren naar het pand waar ze had gewoond, maar ze was daar niet meer. En niemand leek te weten waar ze heen was.
Toen ging op een avond de telefoon. Ze schrok toen ze de stem van haar zusje herkende. Ze klonk zo vreemd, praatte verward en huilde.
Eindelijk verstond ze: „Linde, ik ben zo ziek. Ik kan niet meer voor Robin zorgen."
„Waar ben je? Ik kom naar je toe."
„Ik ben in het station. Maar na twaalven word ik weggestuurd."
„Ik kom nu direct naar je toe. Wacht op me."
Linde was al in de gang voor ze er aan dacht dat Jack wel even moest weten wat ze ging doen.
„Sofie belde. Het gaat niet goed met haar."
„Dat is niet voor het eerst." Hij volgde haar in de gang. „Ze kan wel in de logeerkamer slapen," zei hij tot haar verbazing. „O, niet omdat ik van gedachten ben veranderd wat haar betreft. Ik denk aan dat arme jochie. Wat moet er van hem worden?"
Linde reed zo snel mogelijk met de auto naar het station, foeterend op ieder stoplicht. Ze parkeerde haar auto vlakbij het station, dacht niet eens aan een parkeerkaartje, rende het gebouw in.
In de hal was het een komen en gaan van mensen. Enkele zwervers zaten of lagen op een bank, en ze huiverde als ze aan haar zusje dacht. Wat deed ze hier? Was ze uit het huis gezet? Waarom was ze niet naar haar gekomen? Ze zag haar niet in de hal. Ze had moeten vragen waar Sofie pre-

cies was. Als ze dat al had kunnen uitleggen. Ze kon haar ook niet bellen, een mobiel had haar zusje al lang niet meer. Wat had ze eigenlijk wel, behalve haar zoon?
O Sofietje, dacht ze bijna wanhopig en direct er achteraan: maar nu ga ik er iets aan doen. Er moeten toch mogelijkheden zijn dat ze niet op straat hoeft te leven. Ze wilde juist de trappen oplopen naar de perrons toen ze aan haar jas werd getrokken. Haar zusje stond pal achter haar met Robin aan de hand. Linde schrok hevig van haar uiterlijk. Ze zag er werkelijk doodziek uit.
„Mijn auto staat hier vlakbij. Kun je lopen?" vroeg ze.
„Mag ik je vasthouden?"
Linde tilde Robin op drukte het ventje tegen zich aan. „Jij gaat met mij mee," zei ze zacht. Langzaam liepen ze nu naar de uitgang. Sofie leunde zwaar op haar en Linde voelde haar beven. Ze zei echter niets. Als ze eerst maar thuis waren. Een warm bad, iets te eten en dan naar bed.
Het kostte nogal wat energie om thuis te komen. Sofie werd af en toe overvallen door een hevige hoestbui die haar vreselijk uitputte.
Linde hield via de autospiegel in de gaten of ze Robin wel goed vasthield. Het kind gedroeg zich apathisch. Zijn gezichtje was vuil en ze kon zien dat hij gehuild had.
Voor ze uitstapte belde ze naar boven of Jack Robin wilde komen halen. Even later hielp hij ook Sofie uit de auto. Na een blik op haar zusje zei hij: „Ik zou maar een dokter bellen."
Linde knikte alleen. Dat Sofie hier niet op reageerde bewees opnieuw hoe ziek ze was.
Linde ging nooit met de lift, maar vandaag was ze blij dat het ding er was. Ze had anders niet geweten hoe ze haar zusje boven had moeten krijgen. Eenmaal in de kamer sleepte Sofie zich naar de bank en ging meteen liggen.
„Wil je eerst iets drinken of wil je direct naar bed?" vroeg

Linde, in de hoop dat dit enige reactie zou uitlokken. Maar Sofie schudde het hoofd. „Zorg voor Robin," zei ze zacht.
„Natuurlijk, hij moet verzorgd worden." Linde maakte een beker melk warm die het kind gulzig leeg dronk.
Ze nam hem mee naar de badkamer, vulde het bad en zette hem in het warme water, waar hij heel stil bleef zitten. „Een normaal kind speelt in bad," zei Jack achter haar.
„Hij is volkomen normaal."
„Hij is verwaarloosd en vervuild. Ik weet niet of je daar normaal bij blijft."
Ze gaf geen antwoord. Het was hard dit te moeten toegeven, maar wat het eerste betrof had hij volkomen gelijk.
Ze wikkelde het jongetje in een groot badlaken en legde hem later in een diepe leunstoel met wat kussens. Bijna onmiddellijk vielen zijn bruine ogen dicht.
„Hij is doodop," zei Jack. Opnieuw had hij gelijk en ze voelde dat hij haar zusje dit alles verweet. En misschien was dit terecht, maar ze wilde het niet horen. Sofie lag opgerold op de bank en ze zag haar af en toe huiveren. Ze voelde dat ze hoge koorts had en het leek of haar ademhaling moeizaam ging. „Ik bel een dokter," zei ze resoluut.
„In de hoop dat er iemand komt," bromde Jack. Ze belde de huisartsenpost en legde de situatie uit. En inderdaad vroeg men eerst of ze zelf niet kon komen.
„Onmogelijk," zei ze beslist. Na enig heen en weer praten beloofde men een dokter te sturen. Het duurde nog ruim een half uur en Linde begon zich steeds ongeruster te maken.
De arts die tenslotte kwam was nog een vrij jonge man. Hij keek bezorgd naar Sofie, luisterde en fronste de wenkbrauwen. Hij stelde haar enkele vragen maar kreeg geen antwoord.
„Ze is verslaafd," meende Jack te moeten melden.

„Dat heb ik begrepen. Maar er is meer aan de hand. Ik wil haar nog wat beter onderzoeken. Wilt u me helpen?"
Toen Linde het magere lijfje van haar zusje zag, schoten haar de tranen in de ogen. Sofie liet apathisch met zich doen, haar ademhaling piepte onrustbarend.
„Ik zal een ambulance bellen. Ze moet naar het ziekenhuis," zei de arts even later. „Ze heeft in elk geval een zware longontsteking en is volkomen ondervoed."
„Ze haalt het toch wel?" vroeg Linde geschrokken.
„Daar kan ik in dit stadium niets over zeggen. Maar als ze het nu redt gaat het over niet al te lange tijd toch weer mis. Hoe kan een mens zichzelf zo verwaarlozen?"
„Ze heeft een kind," zei Jack.
De dokter keek even naar het slapende jongetje. „Ik neem aan dat hij hier kan blijven?"
„Natuurlijk," zei Linde onmiddellijk. Ze zocht nu wat kleding van haarzelf bij elkaar. Alles zou voor Sofie veel te groot zijn, maar ze had al gezien dat er in Sofies tas alleen maar vuile kleren zaten.
De dokter bleef wachten op de ambulance, keek af en toe bezorgd naar Sofie die steeds moeizamer ademhaalde.
„Denkt u dat ze een overdosis heeft genomen?" vroeg Linde.
De man schudde beslist het hoofd. „Dat geeft andere verschijnselen."
Toen de ambulance arriveerde vroeg de arts haar of ze wilde meegaan. „Wil jij bij Robin blijven?" vroeg ze Jack. Deze knikte, zij het met duidelijke tegenzin. Ze reed met haar eigen auto achter de ambulance aan. Ze had kunnen meerijden, maar ze moest tenslotte ook weer terug en ze wilde Jack niet te lang alleen laten met het kind.
Een half uur later was Sofie in een hoog ziekenhuisbed geïnstalleerd en had een arts haar onderzocht. „Is het beter als ik blijf?" vroeg Linde.

„Wat u wilt. Er is geen direct gevaar. We kunnen u telefonisch bereiken, neem ik aan."
Ze knikte. „U mag morgen de hele dag bij haar," zei de arts vriendelijk. „Ze krijgt nu medicijnen en is daardoor misschien wat beter aanspreekbaar." Linde ging naar het bed toe en fluisterde de naam van haar zusje. Sofie opende haar ogen en had duidelijk moeite zich te concentreren voor ze Linde aankeek.
„Ik ga nu naar huis, maar ik kom morgen weer. Robin is bij mij," zei Linde tegen haar zusje.
Sofie mompelde iets maar ze kon haar niet verstaan.
Toen ze terugliep door de gang vocht ze tegen haar tranen. Ze zou toch niet doodgaan? Dat kon gewoon niet. Er waren verslaafden die jaren doorgingen en toch oud werden. Sofie leek zo ziek. En ze had de indruk gekregen dat het niet alleen door de drugs kwam. Ze had longontsteking opgelopen doordat ze geen weerstand had. Maar aan longontsteking ging je in deze tijd toch niet meer dood behalve als je heel oud was?
Toen ze thuiskwam lag Jack op de bank. Robin sliep nog steeds in de stoel. „En?" vroeg hij overeind komend.
„Ze is erg ziek. Ik ben bang, Jack."
„Moeten we je ouders niet waarschuwen?" Ine en Paul waren in Frankrijk.
„Wil jij dat doen?" vroeg ze. Ze wist dat ze boos zou worden als zij belde. Boos omdat ze Sofie hadden laten vallen. Daar leek het tenminste op hoewel Sofie zelf ook geen contact meer wilde. Het was allemaal de schuld van Jean Luc. Nadat hij was vertrokken was Sofie steeds meer gaan gebruiken. O, wat zou ze hem graag het een en ander voor de voeten gooien. Zou er dan niemand zijn die wist waar hij was?
Toen Linde de volgende morgen bij Sofie kwam schrok ze zo mogelijk nog erger dan de dag ervoor. Ze had kennelijk

geen koorts meer, maar ze voelde klam aan en was doorschijnend bleek. Maar ze was wakker en glimlachte toen ze haar zag. „Hoe is het met je?" vroeg Linde zacht.
Sofie schudde het hoofd. „Ik red het niet, Linde."
„Natuurlijk wel. Als je weer beter bent ga ik voor je zorgen. Je komt bij mij wonen."
„En Jack dan?"
„Jij bent belangrijker dan Jack."
„Dat is niet goed." Het kwam als een zucht en het viel Linde op dat ze heel oppervlakkig ademhaalde. „Kan ik Jean Luc ergens bereiken?" vroeg ze tegen beter weten in.
Sofie maakte een zwak afwerend gebaar. „Dat hoeft niet meer. Wil jij voor Robin zorgen?"
„Natuurlijk," antwoordde Linde direct. Het bleef even stil. Toen Linde zag hoeveel moeite het Sofie kostte om iets te zeggen, zei ze: „Zeg maar niets. Ik zorg voor Robin zolang dat nodig is."
„En als ik er niet meer ben?" Sofies ogen lieten haar niet los.
„Sofie... je mag." Ze greep Sofies magere hand die uit alleen maar botjes leek te bestaan. „Ik beloof het," zei ze dan moeilijk.
„Word jij zijn voogd. Niet vader en moeder. Jij. Ik vertrouw hem aan jou toe."
„Het is beloofd," zei Linde opnieuw. Ze kuste Sofie op haar voorhoofd. „Ga niet Sofie. Blijf hier. Bij mij." Sofies blik gleed weg en haar ogen leken haar niet meer te zien. Op dat moment wist Linde dat ze haar zusje, nog maar eenëntwintig jaar oud, zou verliezen.

HOOFDSTUK 2

Eén jaar later.

De man die om de twee weken het gras van het kerkhof maaide was er voor vandaag weer mee klaar. Tevreden keek hij rond. Alles zag er keurig uit. Hij stelde er een eer in zijn werk goed te doen. Hij zou nu naar een park in de buurt gaan dat hij ook onderhield. Dat was wel een heel andere omgeving natuurlijk. Daar waren wandelaars met honden, spelende kinderen, verliefde paartjes. Maar deze afwisseling was juist goed. Het maakte duidelijk dat het leven door ging. Terwijl hij de maaimachine terugreed viel zijn oog weer op het graf met de vele witte rozen. Ach ja, zo'n jonge vrouw. Hij verwachtte dat ze vandaag wel weer bezoek zou krijgen. Er kwamen nu eenmaal vaker bezoekers voor jonge mensen, dan voor degenen wier leven op hogere leeftijd was geëindigd. Hij reed de maaier in de opslagruimte en sloot alles zorgvuldig af.
Hij pakte zijn fiets en reed naar het hek. Daar kwam hij de jonge vrouw tegen. Ze groetten elkaar. Natuurlijk had ze bloemen bij zich. Deze keer witte chrysanten. Even nog bleven zijn gedachten bij de jonge vrouw die altijd in haar eentje kwam. Zij kon toch niet het enige familielid zijn? Zij kwam hier nu al ruim een jaar zeker iedere week. Hij had daar respect voor. Velen hadden het allang laten afweten.
Even later stapte hij bij het park van zijn fiets. Het zou niet druk zijn met dit druilerige weer. Hij knikte naar een jogger en vroeg zich niet voor het eerst af of het verstandig was je zo uit te putten. Gedachten aan zijn andere werk verdwenen nu naar de achtergrond.
Linde Berkhorst stond stil bij de steen en las de overbekende tekst. „Mijn lieve mama, onze dochter en zus Sofie. Op de leeftijd van eenëntwintig jaar."

„Ach Sofietje," zei ze zacht voor zich heen. Met een lichte zucht bukte ze zich om de bloemen in de altijd gereedstaande vaas te zetten. Vlakbij was een kraan en ze vulde de vaas. Ze deed verder wat er gedaan moest worden, terwijl haar gedachten zich bezig hielden met haar zus.
Sofietje, ze had lang zorgeloos door het leven gefladderd. In sommige opzichten was ze net een kind geweest. Het leven was een spelletje voor haar. Ze rolde van de ene verliefdheid in de andere. Tot op haar zeventiende die ene man in haar leven kwam. Jean Luc van Schagen. Hij kwam, zag en overwon. Binnen een jaar was Sofie zwanger. Ze kregen een zoon en ze woonden ruim twee jaar samen. Jean Luc was reisleider en daardoor veel weg.
Tot hij op een keer voorgoed verdween naar Amerika. Hij schreef Sofie een brief dat het beter was als ze elkaar niet meer zagen en dat was het. Sofie bleef ontroostbaar achter. Robin was toen net twee jaar. Ze wilde nooit een kwaad woord horen over Jean Luc, terwijl Linde hem in gedachten de huid vol schold. „Hij moet een goede reden hebben," beweerde haar zusje.
Sofie was diep ongelukkig en zocht steeds vaker troost in drugs en stimulerende middelen. Uiteindelijk was dit haar, na bijna vijf jaar, fataal geworden. Hoe vaak had zij, Linde, niet geprobeerd haar te troosten, haar gesmeekt ermee op te houden. Ze had in het begin nog wel geluisterd, had dan korte tijd het spul niet aangeraakt. Maar het was of Sofie het leven niet meer aan kon. Ze had onvoorstelbaar veel van Jean Luc gehouden. Ze was zichzelf daardoor kwijtgeraakt, dacht Linde wel eens.
Zelf woonde ze al lange tijd met Jack samen en sinds ruim een jaar was ook Robin bij hen. Ze hield van Jack, zeker, maar ze zou zich nooit zo volledig aan een man overleveren als Sofie had gedaan.
Maar de laatste tijd ging het niet zo goed tussen haar en

Jack. Het probleem was dat hij de aanwezigheid van Robin slecht kon verdragen.
„Maak je geen zorgen, het gaat goed met Robin," zei Linde nu zachtjes. Dat was niet helemaal waar. Ze vroeg zich af of haar zusje wist dat Robin niet echt een gelukkig kind was. In elk geval, zij had Sofie beloofd voor haar zoon te zorgen en ze was zeker van plan die belofte te houden.
Sofie had het haar al een keer gevraagd voor ze zo ernstig ziek werd. Misschien had haar zusje een voorgevoel gehad dat ze niet oud zou worden. Trouwens, ze had ook een brief achtergelaten waarin ze haar opnieuw aan die belofte herinnerde. En dat was maar goed, want ook hun ouders wilden hun kleinkind in huis nemen. Zij woonden echter in Frankrijk. Na haar vaders vroege pensioenering hadden ze het plan opgevat daar een huis te kopen. „Robin zal zich daar niet thuis voelen. Hij houdt van je, Linde," had Sofie geschreven. Haar zus had echter geen rekening gehouden met Jack. Zo goed had ze hem niet gekend. Ze hadden elkaar nooit echt gemogen. Haar zus was al aan de drugs voor Jack in Lindes leven kwam.
Jack en zij hadden elkaar op haar werk ontmoet. Jack kwam met zijn vader mee in verband met een erfeniskwestie. De rustige manier waarop hij met zijn vader omging was haar opgevallen. Maar het had haar verbaasd dat hij haar de volgende dag opbelde. Later had ze wel eens plagend opgemerkt: „Je aandacht ging niet alleen naar je vader uit."
„Jij moest wel opvallen," had hij geantwoord. Linde wist dat ze vooral opviel door haar roodbruine haar wat ze meestal in een staart of vlecht droeg. De kleur leek bijna te mooi om echt te zijn, maar toch was dat wel zo.
In elk geval, ze hadden een afspraak gemaakt en na enkele maanden hadden ze een vaste relatie. Toen Sofie Jack

voor de eerste keer ontmoet had zei ze: „Je kunt wel wat beters krijgen."
„Zoals Jean Luc zeker," had Linde scherp geantwoord. Toen ze Sofies tranen zag had ze alweer spijt. „Jean Luc is uniek," had haar zusje gefluisterd.
Ze bleef dat herhalen, ook toen Jean Luc al was vertrokken. „Hij had inderdaad bijzondere eigenschappen," had Linde een keer hatelijk geantwoord.
„Ik weet zeker dat hij een goede reden had. Zoals ik ook zeker weet dat hij een keer terugkomt," had Sofie stellig beweerd.
„Mijn hemel, je zus is verslaafd," had Jack later na een bezoek van Sofie gezegd. Hij had dit eerder opgemerkt, maar toen had Linde geweigerd hem te geloven. Nu wist ze echter beter.
„Heb ik je dat niet verteld?" vroeg Linde onschuldig.
„Je weet heel goed dat als ik dit had geweten ik haar niet in mijn huis ontvangen had."
„Het is evengoed mijn huis. Voortaan zal ik je waarschuwen als ze er is. Dan hoef je niet thuis te komen voor ze is vertrokken."
„Ze is een junk," zei Jack hardnekkig. „Waarschijnlijk is haar kind ook verslaafd. Ik begrijp nu waarom de vader is verdwenen."
Linde zuchtte als ze dacht aan de heftige ruzie die was ontstaan. Maar Sofie was haar zelden meer komen opzoeken. Zijzelf was wel iedere week bij haar geweest. Maar op het laatst had Sofie haar ontlopen. Ze zwierf soms op straat. Tot de dag dat ze haar belde vanaf het station. Arme Sofie. Zij had haar zusje niet kunnen helpen. Sofie had geen hulp gewild. En zijzelf bleef maar denken dat haar zusje nog had geleefd als Jean Luc haar niet in de steek had gelaten. Als Linde had geweten waar ze Jean Luc kon bereiken, had ze hem zeker ingelicht over Sofies

toestand. Hoewel de laatste daar heftig tegen geprotesteerd zou hebben.
Linde schikte nog wat aan de bloemen, knipte enkele verwelkte rozen weg. „Ik ga maar eens," zei ze dan. Ze had de gewoonte aangenomen te praten of Sofie haar kon horen. Het gaf haar een zekere troost. Na nog een laatste blik liep ze terug. Haar auto stond buiten het hek. Ze had beloofd Robin van school te halen. Het kind kon best alleen naar huis, het was niet ver, maar hij was altijd weer blij haar te zien.
Even later stond ze bij de school te wachten net als de andere moeders. Linde bleef in de auto zitten. Robin was hier nu bijna een jaar op school. Verschillende mensen hadden al geprobeerd er achter te komen wat er met zijn moeder was gebeurd. Linde wilde daar niet over praten. Ze wilde niet dat Robin allerlei vragen van kinderen moest beantwoorden. Zijn moeder was ziek geworden en doodgegaan. Dat was op zich al erg genoeg. Later zou ze hem de volledige waarheid wel vertellen. Hij moest weten hoe gevaarlijk het gebruik van dergelijke middelen was.
Toen ze hem zag aankomen stapte ze uit. Hij lachte en zwaaide naar haar. Hij zag er in elk geval al vrolijker uit dan toen hij net op school was.
„Linde, gaan we direct naar huis?" was zijn eerste vraag.
„Dat was de bedoeling. Waarom?"
„Ik moet vrijdag naar de verjaardag van Emiel. Wij moeten nog een cadeautje kopen."
„Oké, dan doen we dat eerst."
Ze zag de opluchting op zijn gezicht. Ze wist dat Sofie op het laatst niet meer in staat was geweest dergelijke dingen te regelen. Robin herinnerde zich dat ook. Ze wist dat hij dan had gezegd: „Het geeft niet hoor, mam. Dan ga ik wel niet. Hij is toch niet echt een vriendje." Zijn kinderlijk meeleven had haar vaak ontroerd.

„Heb je een verlanglijstje van Emiel?” vroeg ze.
„Hij wist niets.” Kinderen van deze tijd, dacht Linde. Ze hebben alles al. Het zou tijd kosten iets te zoeken. Maar goed, ze was vrij en deze uren waren voor Robin.
Toen ze zo'n drie kwartier later thuis kwamen, dronken ze eerst samen thee. Linde vroeg hoe Robins dag was geweest. Ineens betrok zijn gezicht. „Iemand zei dat jij mijn moeder niet bent. Hij vroeg waarom ik bij jou woonde.”
„Je moeder is er niet meer, lieverd, dat kun je gewoon zeggen. En je woont bij mij omdat ik van je houd. En omdat ik heb beloofd voor jou te zorgen.”
„Komt Jack straks?” ging hij op iets anders over.
„Natuurlijk. Jack woont hier ook.”
„Houd je ook van hem en blijf je altijd voor hem zorgen?”
Ze aarzelde even, zei dan: „Ik houd wel van Jack. Maar hij kan voor zichzelf zorgen. Hij is al groot.”
„Hij zou dus op een dag zomaar weg kunnen gaan en niet meer terugkomen?” Ze keek naar hem maar hij tuurde in zijn thee, verkruimelde zijn koekje. „Waarom wil je dat Jack weg gaat?” vroeg ze vriendelijk.
Het kind haalde de schouders op. „Ik vroeg het zomaar. Ik ga even schommelen.” Voor de flat waar ze woonden was een grasveld met enkele speeltoestellen.
Even later keek ze door het raam naar hem. Hij schommelde niet echt, wiegde alleen wat heen en weer. Zijn gezichtje stond zorgelijk. Ze wist dat hij Jack niet mocht. Haar vriend deed ook geen enkele moeite om contact met hem te krijgen, dacht ze een beetje geërgerd.
Sterker, hij negeerde het kind de meeste tijd. Als hij al iets tegen Robin zei was het meestal zoiets als: 'eet je bord leeg', of 'het is tijd om naar bed te gaan'. Ze zou er vanavond nog eens met hem over praten, besloot ze. Evenals over dat andere. Hij wist nog niets van de mail die ze van

haar ouders had ontvangen. Daarin stond dat ze hadden besloten zich blijvend in Frankrijk te vestigen. Omdat ze echter niet alle schepen achter zich wilden verbranden, hadden ze haar gevraagd in hun huis te trekken. Haar ouderlijk huis dus. Een vrijstaande semi-bungalow met een grote tuin. Het zou een enorme verbetering zijn, vergeleken bij de beperkte ruime die ze nu hadden. Ook zou ze gewoon haar baan kunnen houden. Het huis stond in een van de kleinere plaatsen vlakbij Rotterdam. Ooit een dorp geweest, maar nu was het dorpse vrijwel geheel verdwenen. Linde wist zeker dat ze snel gewend zou zijn. Maar gold dat ook voor Robin? En voor Jack? Hij zou in eerste instantie weigeren, stadsmens als hij was. En wat als hij bij die weigering bleef. Zou zij dan toch doorzetten? Zou Jack het zover laten komen dat hij haar alleen liet vertrekken? Hij zou zijn baan gewoon kunnen houden. Een van hen zou wel met het openbaar vervoer moeten gaan. Ze kon nu al voorspellen dat dat Jack niet zou zijn. Het drong tot haar door dat ze al min of meer bezig was plannen te maken. Het was misschien verstandig nog even te wachten om hierover te beginnen. Eerst maar over Robin.

Van een rustig gesprek kwam echter niets. Jack was al enigszins geïrriteerd omdat hij een woordenwisseling had gehad met de directeur van de bank waar hij werkte. „Hij vond mij onbeleefd tegenover een klant. Nou vraag ik je! Ik heb meer te doen dan een oud mens uit te leggen hoe ze geld moet pinnen. Daar ben ik niet voor."
„Het is toch niet erg om iemand even te helpen," probeerde ze zachtzinnig.
„Even helpen! Het zag er naar uit dat dit wel een half uur ging duren. Er stonden meer klanten, die erg ongeduldig werden. Ik zei dus tegen dat mens dat ze naar huis moest gaan om eerst te leren hoe ze geld moest opnemen. Ik

vond dit zelf een redelijk verzoek." Linde vroeg zich af of dit een verzoek was geweest of meer een snauw. Ze zweeg echter.
„Dat mens ging naar een ander loket en vroeg naar de directeur. Zoiets verwacht je toch niet van iemand van die leeftijd."
„Nee, je verwacht dat ouderen alles maar pikken. Maar velen van hen zijn behoorlijk assertief. En dat is maar goed ook. Kom, we gaan eten. Ik heb extra gevulde soep gemaakt en er is stokbrood..."
„Geen behoorlijke maaltijd dus..."
„Het heet maaltijdsoep," reageerde ze kribbig. Hij ging er niet verder op in maar at even later wel drie borden. Robin was nog stiller dan anders aan tafel. Linde vroeg zich af of die opmerking van die jongen hem nog steeds dwars zat. Zou ze er goed aan doen hem meer over Sofie te vertellen? Er was immers ook veel goeds over haar zusje te zeggen. Het probleem was dat ze de laatste twee jaar niet verzwijgen kon. Robin was zeven jaar, hij liet zich niet zomaar iets wijsmaken. Het kind had natuurlijk begrepen dat Sofie niet was zoals andere moeders. De laatste twee jaar van haar leven was ze soms nauwelijks in staat geweest om voor Robin te zorgen. Ze kon hem het trieste einde van Sofie niet vertellen. En wat als hij vragen begon te stellen over zijn vader? Jean Luc had niet alleen zijn vriendin, maar ook zijn zoon in de steek gelaten. Dit zou hard bij Robin aankomen. Hij was pas twee jaar geweest toen Jean Luc vertrok. Hem zou hij zich vast niet meer herinneren.
„Schiet eens op," snauwde Jack op dat moment tegen het kind. Robin keek op, zijn donkere ogen strak in de grijze van Jack. „Ik kan niet zo vlug eten als jij. Zo snel eten is niet netjes."
„O nee? Wie heeft je dat wijsgemaakt?"

„Ik weet gewoon dat het waar is," zei Robin die Linde kennelijk niet wilde verraden.
Jack snoof en trok Robins bord weg. „Het heeft nu lang genoeg geduurd. In een toetje heb je natuurlijk ook geen trek. Ga maar direct naar je kamer."
„Ik ben nog niet klaar," sputterde Robin, maar Jack bracht het bord al naar de keuken waar hij de soep liet weglopen in de gootsteen en de vulling in de vuilnisbak gooide. Verbijsterd keek Robin naar Linde. Hij zag bleek. „Ik was nog niet klaar," fluisterde hij.
„Er is nog meer," zei Linde zo rustig mogelijk. Ze probeerde haar boosheid onder controle te houden. Op deze manier kon ze een rustig gesprek wel vergeten.
„Nou schiet op, nu naar bed," zei Jack toen hij terugkwam.
„Ik ga niet naar bed. Het is nog niet eens zeven uur. Jij hebt niets over mij te zeggen. Je bent mijn vader niet."
„Gelukkig niet. Maar ik kan je zeggen, je vader wilde jou niet hebben. Jou niet en je moeder niet."
Lindes woedende uitroep „Jack," en het glas water dat Robin naar hem toegooide kwamen tegelijkertijd.
Jack vloog op en sleurde Robin van zijn stoel, schudde hem ruw door elkaar en gaf hem een schop tegen zijn benen.
„Jack, hou op, hij is nog een kind." Linde was nu ook opgevlogen en rukte aan Jacks arm.
„Ik haat je, ik haat je. Ik wou dat je dood was," gilde het kind.
„Hoor je wat hij zegt? Hoor je dat?" hijgde Jack. Hij hield Robin nog steeds vast.
„Dat hoor ik. En ik vind het niet vreemd. Laat hem los." Ze klonk nu ijzig kalm.
Jack zag haar blik en begreep dat hij nu echt te ver was gegaan. Dat ellendige joch ook.
Hij smeet Robin van zich af, waarop het kind viel en hui-

lend bleef liggen. Linde knielde bij het kind en wiegde hem in haar armen. Robin huilde met lange uithalen en op dat moment vroeg ze zich af of ze zo wel verder wilde. Hoe kon ze van een man houden die zich zo gedroeg?
„Kom, ik zal nog wat te eten voor je klaarmaken," zei ze zacht. Ze stond op en nam Robin mee naar de keuken waar ze opnieuw soep opschepte. Ze zette het bord op tafel en ging naast hem zitten. Het kind begon te eten maar keek bij elk geluid schichtig op. Jack was echter niet te zien. Waarschijnlijk rookte hij een sigaret op het balkon aan de achterkant. Linde bleef naast Robin zitten tot zijn bord leeg was. Ze begon aan de afwas toen hij met zijn toetje bezig was, zei er niets van toen hij op een andere stoel ging zitten, vlakbij haar.
„Moet ik al naar bed?" vroeg hij.
„Je mag nog een half uurtje opblijven." Ze hoorde Jack nu in de kamer en Robin schoot van zijn stoel. „Ik ga toch maar naar mijn kamer," zei hij.
Hij liep op zijn tenen de keuken uit en even later hoorde ze hem in zijn kamer.
„Zo naar je zin?" vroeg ze terwijl ze tegenover Jack ging zitten.
„Het is zeker onmogelijk om dit even te volgen?" vroeg hij. Op de televisie was een of ander spelprogramma waar ze normaal nooit naar keken. Ze wist dat hij de confrontatie met haar wilde uitstellen. Nu, dat moest hij dan maar doen. Hij kende haar goed genoeg om te weten dat zij dit niet over haar kant liet gaan.
Ze stond op en ging naar Robins kamer. Hij zat in zijn geliefde houding op de vensterbank, de knieën opgetrokken. Zijn gezichtje stond gesloten. Waarom zag Jack toch altijd kans het kind alle vrolijkheid de ontnemen? „Pak je boek maar," zei ze terwijl ze zich in de rieten stoel installeerde waar ze altijd samen in zaten.

„Moet ik ergens anders gaan wonen?" vroeg hij toen hij naast haar zat.
Ze legde haar arm om hem heen. „Geen sprake van. Hoe kom je daar nou bij?"
„Er zijn kinderen die niet thuis mogen wonen. Omdat ze voortdurend lastig zijn."
„Wie heeft je dat verteld?"
„Jack, een andere keer. Niet tegen hem zeggen."
Haar woede tegenover Jack flakkerde opnieuw op en ze haalde diep adem. „Jij blijft altijd bij mij wonen," zei ze zo rustig mogelijk.
„Maar als jij met Jack gaat trouwen en je krijgt andere kinderen dan..."
„Dat gaat niet gebeuren," zei ze stellig. Ze zag zich inderdaad niet met Jack getrouwd. Kinderen? Als ze zag hoe hij met Robin omging was dat geen optie.
Ze bleef in Robins kamer tot hij in bed lag. Zijn donkere ogen keken haar peilend aan toen ze hem een zoen gaf. „Ga je nu met Jack over mij praten?" vroeg hij serieus.
Ze lachte geruststellend. „Ik ga nog wel even met hem praten over vanavond. Maak jij je maar geen zorgen."
Dat was gemakkelijk gezegd, dacht Robin toen hij stil in het donker lag. Hij mocht een klein lichtje aandoen naast zijn bed, maar Jack had al een paar keer gezegd dat het kinderachtig was. Meestal knipte Robin het lampje toch aan, maar nu durfde hij niet. Jack had hem geschopt en dat was nog nooit gebeurd. Jack was gemeen en Robin snapte niet dat Linde bij hem bleef wonen. Ze zei wel dat ze niet ging trouwen maar Robin was daar niet al te zeker van. Hij had Jack er al enkele keren over horen praten. Als mensen getrouwd waren kwam er een baby. En als Linde een baby kreeg zou ze natuurlijk veel meer van dat kind houden dan van hem. Dan kreeg ze misschien wel net zo'n hekel aan hem als Jack had. Had hij maar een

echte vader en moeder. Zo piekerend viel Robin tenslotte toch in slaap.

Linde had intussen koffie gezet. Ze was vastbesloten niet met verwijten te beginnen. Jack zat nog steeds voor de televisie. Hij werd er echter duidelijk niet door geboeid, want hij zapte van het ene kanaal naar het andere. „Jack, kunnen we praten?" begon ze.
Hij fronste maar drukte toch het toestel uit. „Ik vraag me af of praten wel zin heeft. Ik weet toch al wat je gaat zeggen. En je hoeft me niet voor de zoveelste keer het verhaal te doen van je belofte aan je zusje. Je hebt mij indertijd niets gevraagd. Je hebt in je eentje beslist en dat was fout van je. Je wist dat ik het er niet mee eens zou zijn."
„Dat vermoedde ik. Maar het had niets aan de zaak veranderd," zei ze kalm. „Ik beschouw Robin als mijn eigen kind."
„Maar ik niet. Dat maakt de zaak er niet gemakkelijker op, wel?"
„Je kunt niet eens normaal tegen hem doen."
Jack zuchtte. „Linde, het spijt me dat ik nogal heftig optrad. Maar wie is er nu belangrijker voor je: het kind van een verslaafde, of de man met wie je samenwoont en op den duur gaat trouwen?"
„Dat laatste gaat niet gebeuren," zei ze even stellig als tegen Robin. Hij staarde haar ongelovig aan.
„Jack, ik breng dit kind mee in een huwelijk en het is wel duidelijk dat jij dat niet zult accepteren. Zou je werkelijk willen dat ik Robin ergens anders onderbracht, zo dat al mogelijk is?"
„Je zou kunnen proberen zijn vader op te sporen," stelde hij voor.
„Alsjeblieft zeg. Die onverantwoordelijke schurk."
„Na alles wat je mij hebt verteld denk ik dat je zus dat wel

een goed idee zou vinden. Misschien is hij inmiddels getrouwd en heeft hij meer kinderen. Het zou voor Robin veel beter zijn."
„Wil je ineens het beste voor Robin?" vroeg ze sarcastisch.
„Ik wil het beste voor ons. Wij zijn nu bijna vijf jaar samen. En al die tijd was je zus jouw belangrijkste gespreksonderwerp. Je praatte over haar of je moest er heen. En toen ze ruim een jaar geleden dood ging nam je haar zoon in huis. Het grootste deel van je tijd en aandacht wordt aan hem besteed."
Linde zweeg een tijdje. Ze wist dat Jack voor een deel gelijk had en ze vroeg zich af of ze wel genoeg van hem hield. Robin was namelijk echt belangrijker voor haar, dat was vanavond wel duidelijk geworden.
„Je bent dus jaloers en misschien wel terecht," concludeerde ze. „Misschien moeten we uit elkaar gaan, Jack."
„Het komt niet in je op om te zeggen: laten we het opnieuw proberen."
„Goed dan," ging Linde overstag. Ze zag er zelf niet veel heil in. Maar ze moest hem wel een eerlijke kans geven. Je kon die vijf jaar niet zomaar uitvegen.
„Ik zou wel graag willen dat je het goedmaakte met Robin," zei ze dan.
„Wil je dat ik mijn excuses maak?" vroeg hij halflachend.
„Zoiets..."
Hij zei er niets meer over. Toen Linde die avond nog even bij Robin ging kijken knipte ze het lichtje aan. Waarom had het kind al die tijd in het donker gelegen? Ze zag de opgedroogde tranen op zijn wangen en voelde zich opnieuw kwaad worden. Op de gang haalde ze diep adem. Ze moest wel redelijk blijven. Jack voelde zich verwaarloosd en ze zou er iets aan moeten doen of het liep helemaal verkeerd. En nu wist hij nog niet eens van het huis van haar ouders. Ze kon beter een paar dagen wach-

ten en daarover beginnen als er weer een beetje harmonie tussen hen was.
De volgende morgen kwam Robin als laatste beneden. Hij schoof aan tafel met een schichtige blik in Jacks richting.
„Zo jongen, ben je nog boos op mij?" vroeg Jack op gemoedelijke toon.
Het kind keek hem verbaasd aan en dan naar Linde of hij wilde vragen wat hij hiermee aan moest. „Geef eens antwoord." Er klonk alweer een spoortje irritatie in Jacks stem.
Robin schudde het hoofd. „Jij was boos," zei hij terecht.
„Dat is nu over. We praten er niet meer over. Goed?"
„Oké," zei Robin zonder hem aan te kijken. Hij vertrouwde deze plotselinge vriendelijkheid niet, dacht Linde. Het kon niet goed zijn als een kind zo wantrouwend was. Hij was ook niet zeker van haar. Dat had ze gisterenavond gemerkt.
Jack vertrok wat eerder dan zij. Hij gaf haar een zoen en Robin een klopje op zijn schouder. Het kind keek hem na.
„Ga je toch met hem trouwen?" vroeg hij.
„Nee Robin. Maar Jack wil het een beetje goedmaken van gisteren," zei ze rustig.
„Dat is zeker omdat jij dat wil."
Ze ging er niet op in. Dat kind observeerde en dacht na en trok dan de juiste conclusies.
„Kom, we gaan. Ik wil niet te laat komen," zei ze.
Het was druk op kantoor. Pc's zoemden, telefoons rinkelden, mensen liepen gehaast heen en weer. Maar wanneer ze zich in een dossier wilde verdiepen kon ze zich terugtrekken in een apart vertrek waar het rustig was. Daar kon ze ook mensen ontvangen die een zaak kwamen bespreken. Vaak voelden cliënten zich niet op hun gemak, of het nu om een echtscheidingszaak ging, bezoekrecht, of financiële problemen en dan hadden ze daar een afgezonderd plekje.

Linde werkte tot twee uur die middag. Robin bleef tussen de middag op school. Op woensdag was hij een uurtje alleen thuis - hij had een sleutel.
Eenmaal thuis had ze nog anderhalf uur voor Robin thuiskwam en ze besloot haar ouders te bellen.
„Linde, ik hoopte al iets van je te horen. Ik ben zo benieuwd wat je van ons voorstel vindt." Het was haar vader. Ze wist dat hij er van uitging dat ze enthousiast zou zijn. Haar ouders waren niet op de hoogte van de problemen tussen haar en Jack. Ze wisten niet dat hij er grote moeite mee had dat Robin bij hen woonde. Als ze hier wel van op de hoogte waren geweest zouden ze er veel meer op hebben aangedrongen dat hun kleinkind bij hen kwam wonen. Haar ouders verbleven al vijf jaar in Frankrijk. Wat wisten ze sowieso eigenlijk van haar leven? Zelfs het drama rond Sofie hadden ze niet van nabij meegemaakt.
„Ben je er nog steeds niet over uitgedacht," klonk het aan de andere kant. „Je hoeft ons natuurlijk geen huur te betalen, al zijn de overige woonlasten wel voor jullie rekening. Maar je zit in elk geval voordeliger dan nu. En in mijn ogen ook een stuk comfortabeler."
„Je hebt helemaal gelijk, pa," zei ze eindelijk. „Het is een mooi plan en er lijken alleen maar voordelen aan te zitten."
„Nou dan."
„Ik heb het er nog niet met Jack over gehad."
„Wat kan hij voor bezwaar hebben?"
„Om te beginnen zit hij verder van zijn werk. En hij is graag in de stad."
„Kleinigheden," wuifde haar vader haar woorden weg. „Ik zal je moeder even geven."
„Lieve kind, hoe is het met je? En met mijn eerste en enige kleinzoon."
Terwijl Linde antwoord gaf bedacht ze dat haar moeder

regelmatig dergelijke subtiele opmerkingen maakte. Haar bedoeling was duidelijk. Wanneer zou Linde, haar enige overgebleven dochter, haar een kleinkind schenken? Linde was tenslotte bijna dertig.
„Je bent er nog niet uit of je in ons huis wilt gaan wonen, begrijp ik," zei haar moeder toen. „Je bent niks verplicht hoor, maar dan moeten wij toch maatregelen nemen. Om te verhuren bijvoorbeeld voor langere tijd. Je moet wel meebeslissen want het huis is later toch voor jou. Wij zullen hier wel permanent blijven wonen."
„Het moet daar wel geweldig zijn," antwoordde Linde.
„Jij bent hier één keer geweest. Sindsdien is het huis helemaal verbouwd. En er is veel ruimte omheen. Ruimte voor een paard en onze twee honden. Waarom komen jullie niet eens logeren? Neem nu het weer hier. Je vader zit alweer op het terras. Het is nog maar april, maar al heerlijk buiten. Hoe is het bij jullie?"
Linde keek naar buiten. De lucht was grijs en een miezerige regen maakte alles troosteloos. Het was april en tussen de struiken bloeiden felgeel de narcissen. „Het wordt langzaam lente," zei ze. „Misschien kunnen we in de meivakantie komen. Als Jack vrij kan krijgen."
„Je kunt ook zonder hem komen," reageerde haar moeder. Ine had nooit onder stoelen of banken gestoken dat ze Jack niet de meest geschikte echtgenoot voor haar dochter vond.
„Ik moet nu eerst met hem bespreken hoe hij over een verhuizing denkt," zei ze.
„Maar jij, hoe denk jij erover?" drong haar moeder aan.
Linde aarzelde. „Ik geloof dat ik er wel positief tegenover sta," zei ze dan voorzichtig. „Maar ik ken daar natuurlijk niet veel mensen. En Robin zal weer naar een andere school moeten."
„Kinderen zijn flexibel," wist haar moeder te melden.

„Robin heeft veel meegemaakt," reageerde Linde kortaf.
„Natuurlijk. Wij allemaal. Praat hij nog wel eens over zijn moeder?"
„Ik praat over haar. Het is niet de bedoeling dat hij haar vergeet." Linde wist dat haar moeder daar bepaalde conclusies uit kon trekken wat ze dan ook prompt deed.
„Wij zijn Sofie ook niet vergeten. Hoe zou dat kunnen! Maar hier is ze nooit geweest, dat maakt verschil."
Was dat de reden dat haar ouders Nederland achter zich hadden gelaten? vroeg Linde zich af.
„Vanavond praat ik met Jack en dan laat ik het jullie morgen weten," maakte ze een eind aan het gesprek. Ze ging voor het raam staan en tuurde naar de druilerige regen. Waarom was Sofie niet in het huis van hun ouders gaan wonen? vroeg ze zich nu af. Het werd regelmatig verhuurd aan mensen die tijdelijk woonruimte zochten. Voorzover zij wist hadden haar ouders het Sofie nooit voorgesteld.
„Sofie gaat met een vreemd soort mensen om," zei haar vader soms. Hij had natuurlijk geweten van haar verslaving. Was dat de reden dat ze haar niet beter hadden opgevangen? Ze moest daar toch eens met hen over praten. Want ze hadden heel lang Sofies problemen niet willen zien. Ze woonden meestal in Frankrijk en als zij er al een keer over wilde praten ging dat uiterst moeizaam. Was dat niet de reden dat ze hen slechts één keer had opgezocht? Echt praten over Sofie was er nooit van gekomen. Een dergelijk gesprek waren haar ouders voortdurend uit de weg gegaan. Konden zij dat niet aan? Of voelden zij zich toch schuldig omdat ze Sofie niet beter hadden opgevangen. Eerlijkheidshalve moest Linde wel toegeven dat haar zus ook niet echt geholpen had willen worden. Zelf bleef ze ook steeds denken of ze niet meer had kunnen doen. Met Jack kon ze daar al helemaal niet over praten. Dergelijke personen waren volgens hem niet te helpen. In

het begin had Sofie haar verdriet om het vertrek van Jean Luc willen vergeten. Later had ze niet meer willen en kunnen stoppen. Ze had de gevaren onderschat.
Linde stond nog steeds voor het raam terwijl haar gedachten om haar zusje bleven draaien.
Ze had zich niet echt gerealiseerd hoeveel Sofie van Jean Luc hield totdat hij was vertrokken. Ze was nog zo jong geweest toen het begon. Ze had haar nog wel eens geplaagd, door te zeggen dat ze al zijn bewegingen volgde als een fanatieke fan haar sportheld. Maar het was allemaal veel serieuzer geweest dan ze had gedacht. Ze vroeg zich af of Jean Luc dat had geweten. Soms was ze ook boos dat Sofie deze weg had gekozen. Ze had haar er ook wel op gewezen: „Er zijn meer mensen op de wereld dan Jean Luc. Onze ouders, ikzelf, en vooral Robin."
„Iedereen is beter af zonder mij," was het antwoord van haar zusje geweest.
Linde keerde ze zich eindelijk van het raam af. Ja, ze zou naar haar ouders gaan, besloot ze. Ze wilde er nu met hen over praten. Het was ook goed dat Robin zijn opa en oma beter leerde kennen. Het was belangrijk dat het kind wist dat er meer mensen waren die van hem hielden.

HOOFDSTUK 3

Die avond, toen Robin in bed lag en Jack een krant las, zei ze: „Ik moet je iets vertellen."
Met duidelijke tegenzin legde hij de krant neer. „Niet weer over Robin, hoop ik. Ik doe mijn best en meer kan ik niet doen."
„Het gaat over heel iets anders. Mijn ouders hebben nu de knoop doorgehakt en blijven voorgoed in Frankrijk. Ze hebben voorgesteld dat wij in hun huis gaan wonen."
„Geen sprake van," was zijn onmiddellijke reactie.
„Het is misschien wel goed als je er even over nadenkt," zei ze zo rustig mogelijk.
„Dat hoef ik niet te doen. Ik ga niet uit Rotterdam weg. Ik ben hier geboren en ik voel me hier thuis."
„Je kent het huis. Met de auto is het twintig minuten van de stad. Je kunt gewoon bij de bank blijven en ik bij de rechtbank. Het zal wat meer tijd kosten maar we krijgen er veel voor terug." Waarom probeerde ze hem te overtuigen? Misschien wilde ze wel niet met Jack in het huis van haar ouders wonen. Deze gedachte kwam plotseling bij haar op en ze schrok er zelf van. Wilde ze dan echt zonder Jack verder? Misschien kwam dit nu in haar op omdat ze weer gedacht had aan de onvoorwaardelijke liefde die haar zusje voor Jean Luc had gevoeld. Tussen hen was het heel anders. „Als jij niet wilt..." begon ze.
„Wat dan?" vroeg hij.
„Dan ga ik alleen met Robin."
Hij keek haar even zwijgend aan, zei dan: „Je had dit al langer in gedachten, niet? En dit is een goede gelegenheid om mij te dumpen. En dat allemaal omdat ik Robin niet als mijn zoon kan accepteren."
„Dat is het niet alleen," zei ze zacht. „Het speelt natuurlijk mee. Maar we hebben zo weinig met elkaar. Dat is al veel

langer zo. Dat moet jij toch ook gemerkt hebben. We zijn aan elkaar gewend, maar is er sprake van echte liefde? Ook van jouw kant?"
„Dat is er in elk geval wel geweest," zei hij langzaam. „En als er iets verkeerd is gegaan dan is dat door de komst van Robin, ruim een jaar geleden. Ik werd gewoon voor een feit gesteld. Je hebt nooit enig overleg gepleegd. Als ik het aan iemand vertel, zegt men 'dit kan nooit goed zijn voor een relatie, dat jij dat goed vindt'. Maar ik heb het nooit goed gevonden. Jij hebt je daar echter niets van aangetrokken."
„Je hebt gelijk," gaf ze toe. „Ik heb veel te weinig rekening met jou gehouden. Maar dat wijst er immers op dat ik niet genoeg van je hield. Misschien is voor mij een relatie wel niet te realiseren. Want ik zal voor Robin blijven zorgen, zolang dat nodig is."
„Op zijn minst nog tien jaar," concludeerde hij. „Goed, jij gaat dus verhuizen en ik blijf hier wonen. We hoeven niet direct alle contact te verbreken. Misschien moeten we alleen wat afstand nemen."
Linde knikte. Het hoefde inderdaad niet zo radicaal. Toch had ze nu al een gevoel van bevrijding. Ze besloot echter nog niets aan Robin te zeggen. Ze zou eerst met hem naar het huis gaan kijken. Ze was benieuwd hoe het kind zou reageren.
De komende dagen ging Jack redelijk ontspannen met Robin om. Hij voelde blijkbaar ook een zekere opluchting omdat de situatie binnenkort zou veranderen, maar ze wilde er niet weer over beginnen.
Vrijdagmiddag was Robin vrij en ze besloot met hem naar het huis van haar ouders te gaan. Ze had het kind nog niet ingelicht over het feit dat ze waarschijnlijk samen met hem ergens anders ging wonen. Ze had Jack gezegd dat ze vandaag zou gaan en hij had bereidwillig de auto afgestaan.

Het was maar een rit van een half uur, maar toch kwamen ze in een andere wereld terecht. Hoewel de plaats bijna aan de stad was vastgegroeid heerste er toch een andere sfeer. Veel mensen die in Rotterdam en omstreken werkten hadden zich hier gevestigd.
Toen ze in de buitenwijken kwamen vroeg ze Robin: „Waar denk je dat we heen gaan?"
Het kind haalde de schouders op. Het was niet vreemd dat hij de omgeving niet herkende, hij was hier slechts één keer eerder geweest, kort na het overlijden van Sofie. Hij was oud genoeg om zich die verdrietige tijd te herinneren. Stel dat alles weer boven kwam doordat hij dit huis weer zag, dacht ze bezorgd. „We gaan naar het huis van opa en oma," zei ze.
„Wonen ze weer in hun huis?"
„Op dit moment staat het leeg." Ze parkeerde de auto voor het huis en stapte uit. Ze keek om zich heen. De tuin was groot en lag rondom het huis. Enkele bomen en veel struiken zorgden voor privacy. Het geheel maakte een wat verwaarloosde indruk. Mensen die hier tijdelijk woonden maakten kennelijk geen tijd vrij om de tuin meer dan oppervlakkig te onderhouden. Er was hier in het dorp een hoveniersbedrijf, herinnerde ze zich. Dat kon ze wel vragen het een en ander op te knappen en dan kon ze het daarna zelf.
„Kunnen we naar binnen?" vroeg Robin.
„Ja, we gaan eens kijken hoe alles er uit ziet."
Het huis was ruim en goed onderhouden. Er was bijvoorbeeld een moderne keuken. De kamer had een open haard en brede tuindeuren naar het terras. Tuinmeubilair was vast in de garage opgeslagen. Langzaam liep ze door de kamer, pakte hier en daar een voorwerp op. Het was uiterst sober gemeubileerd, haar ouders hadden veel meegenomen naar Frankrijk. Veel van haar eigen meubels

zouden hier goed staan. De parketvloer zag er nog goed uit, een kleed zou alles een wat warmer aanzien geven. Maar ze kon de flat niet leeghalen als Jack daar bleef wonen, bedacht ze. Ze hoorde Robin in een van de slaapkamers en ging er ook heen. Er waren twee grotere slaapkamers en een kleine. De laatste zou prima geschikt zijn voor Robin. Er was beneden ook een extra badkamer. Via een trap kwam ze op de bovenverdieping waar nog twee kleine kamers waren en een douche. Eigenlijk was dit huis wel erg groot voor twee mensen, bedacht ze. En de kans dat het er ooit meer zouden worden was klein. Even had ze een gevoel van verlies. Ze hield van Robin, maar eigenlijk werd haar hele toekomst door hem bepaald. Misschien was Jack niet de juiste partner voor haar. Maar iemand die zonder problemen Robin zou accepteren zou moeilijk te vinden zijn. Daarbij ging ze niet voor minder dan voor onvoorwaardelijke liefde.
„Waarom zijn we hier?" vroeg Robin achter haar.
Ze draaide zich naar hem om. „Hoe zou je het vinden als we hier gingen wonen?"
„Voorgoed? Weg uit ons huis? En de school dan?"
„Er zijn hier ook scholen."
Het kind beet op zijn lip, keek om zich heen en liep naar het raam, tuurde de tuin in. „Ik ben hier een keer geweest met mama," zei hij zacht. Toen woonden opa en oma nog hier. Het was niet zo'n leuk bezoek. Mama was toen al ziek en erg moe. Oma huilde en opa was boos." Linde zei niets. Ze herinnerde zich dat Sofie haar in enkele zinnen had verteld dat het bezoek geen succes was geweest. Moeder had haar gesmeekt te stoppen met de troep die ze zichzelf toediende. Vader was boos geweest, had gezegd dat ze haar leven en dat van haar kind vergooide. „En hij heeft natuurlijk gelijk," had Sofie triest toegegeven. „Maar zij weten niet hoe het is. Zij zijn alleen verslaafd aan hun

kopjes koffie. En ze zijn samen, ze maken nog plannen."
Er was toen al sprake van geweest dat hun ouders voorgoed in Frankrijk zouden gaan wonen.
„Ga met ons mee," had Ine voorgesteld. „Laat alles hier achter je en begin opnieuw."
Maar Sofie had geweigerd. In Frankrijk zou ze zo mogelijk nog eenzamer zijn. En stel dat Jean Luc terugkwam en haar niet vond.
„Als dat zou gebeuren, denk je dan dat hij jou accepteert zoals je bent geworden?" had haar vader gevraagd.
„Je gaat van jezelf uit," had Sofie geantwoord. Ze waren uit elkaar gegaan en vader had gezegd dat ze pas weer terug hoefde te komen als ze van plan was haar leven weer op de rails te zetten. Sofie kon dan alle hulp van hem krijgen. Maar Sofie was nooit meer terug geweest. En nooit had ze de hoop opgegeven dat Jean Luc een keer zou terugkomen.
Linde keek naar Robin die stilletjes in de vensterbank zat.
„Zou jij liever in de stad blijven?" vroeg ze.
Hij schudde het hoofd. „Opa en oma hebben hier gewoond en jij en mama. Ik heb toch niet veel vriendjes in de stad."
Dat was waar, dacht Linde. Dat lag voor een deel ook aan Robin zelf. Zo gauw kinderen iets over zijn vader of moeder vroegen ging hij hen uit de weg. Maar hier zouden de kinderen niet anders zijn. Ze zouden van hun ouders te weten komen dat zij niet Robins moeder was. Veel mensen kenden hun gezin, wisten wat er gebeurd was. Maar moest ze daarom in de stad blijven?
„Ik denk dat jij het hier best naar je zin zult hebben," zei ze.
Dan kwam de onvermijdelijke vraag. „En Jack? Wil hij dit ook?"
„Jack wil in de stad blijven. Hij gaat niet mee."
„Maar jij dan... Dan ben je alleen."

Ze lachte. „Ik heb jou toch."
„Maar dat is niet genoeg. Mama had mij ook. Maar ze werd toch ziek omdat ze zo alleen was."
Linde trok hem tegen zich aan. Wat ging er in dat hoofdje om? Was hij bang dat ze ziek zou worden zonder Jack? Had hij zijn moeder wel eens bezig gezien met de injectiespuit? Misschien was Sofie op het laatst niet meer zo zorgvuldig en had hij zijn eigen kinderlijke conclusies getrokken.
„Iedereen kan een keer ziek worden," zei ze rustig. „Maar ik voel me gezond en er is geen enkele reden om je ongerust te maken. Jack zal zo af en toe zeker langs komen. En we gaan ook wel eens naar hem toe."
„Als jij je alleen voelt?" bedong hij.
„Bijvoorbeeld."
„Nou, goed dan. Dan wil ik hier wel wonen. Wanneer gaan we?"
„Dat kan heel snel. Ik wil op school bespreken wat we het beste kunnen doen. Je direct naar een andere school laten gaan of pas na de vakantie."
„Dat duurt nog lang."
Ze knuffelde hem even. „Je kunt ineens niet meer wachten, zeker."
Linde voelde het zelf ook zo. Het zou lijken of ze een nieuwe start maakte.
Toen ze dat die avond tegen Jack zei, antwoordde hij: „Maar de ballast neem je mee."
„Bedoel je Robin?"
„Hem in de eerste plaats. En de voortdurende gedachten aan je zuster. Jullie zijn daar samen opgegroeid."
„Het zijn goede herinneringen," antwoordde ze.
„Dat mag ik hopen. Toch vind ik het geen verstandig besluit."
Linde zuchtte. „Ik wilde enkele dingen van hier meenemen," zei ze dan.

„Tja, zo gaat dat bij een scheiding."
„Toe nou, Jack."
„Hoe wil je het anders noemen? Zo'n relatie op afstand werkt niet, dat weet je zelf ook wel."
„Je kiest er zelf voor om hier te blijven," antwoordde ze. „Heb je mij soms gesmeekt om mee te gaan?"
„Nee. Dat werkt niet."
„Linde, waarom ben je niet eerlijk? Je vindt dit een prima oplossing om van mij af te raken. Ik hoop alleen dat je niet zo eindigt als je zuster."
„Daar is weinig kans op."
De deur kierde open en Robin keek van de een naar de ander. „Maken jullie ruzie om mij?" vroeg hij benepen.
„Ga toch naar bed, bemoeial," snauwde Jack. Linde stond op en nam hem mee terug naar zijn kamer. „Hij is boos omdat we gaan verhuizen," zei ze.
„Wil hij ons achterna komen?" klonk het.
„Absoluut niet. Maak je maar geen zorgen."
Makkelijk gezegd, dacht ze. Dit kind maakte zich al zorgen sinds hij kon denken. Misschien was deze verhuizing wel goed voor hem. Robin wilde het liefst alleen met haar zijn. Hij was tenslotte ook de meeste tijd samen geweest met zijn moeder. Van Jean Luc kon hij zich niets meer herinneren. Even schoot de gedachte door haar hoofd: wat als zijzelf ooit haar grote liefde tegenkwam? Maar ze moest niet aan zichzelf denken. Haar zusje had gedacht dat Robin bij haar, Linde, gelukkig zou zijn. Dus moest ze er alles aan doen om dat waar te maken, ook al ging dat misschien een beetje ten koste van zichzelf.
Voor ze in de meivakantie met Robin naar Frankrijk ging had ze de verhuizing al gerealiseerd. Jack had geholpen en alles was in harmonie verlopen. Hij ging echter niet mee naar haar ouders.
„Laten we niet doen of alles tussen ons in orde is," zei hij

kortaf. „Je kunt hen beter maar vertellen hoe de zaken er voor staan. Je wilt waarschijnlijk met de auto?"
Ze beet op haar lip. Ze hadden alles zoveel mogelijk verdeeld maar met de auto lag dat moeilijk. Hij was van hen samen maar stond wel op Jacks naam. „Ik zou met de trein kunnen gaan," aarzelde ze.
„Neem de auto maar mee. Ik neem zelf ook een paar dagen vrij en dan zal ik eens rondkijken naar een geschikt wagentje voor jou." Hij was werkelijk heel geschikt, dacht ze.
Hij was natuurlijk ook een aardige vent. Ze was niet voor niets al vijf jaar met hem samen. Hun problemen waren met de komst van Robin begonnen.
Maar Jack was niet echt de liefde van haar leven. Anders had ze wel wat meer moeite gedaan om hun relatie in stand te houden. Het kwam bijvoorbeeld niet in haar op om te vragen waarom hij vrij nam en wat hij voor plannen had. Het interesseerde haar niet echt
Toen ze naar Frankrijk vertrokken hielp Jack haar met de bagage. Ze praatten nog even over de route en Linde beloofde te bellen bij aankomst. Robin stond van een afstandje toe te kijken.
Jack gaf haar een zoen op haar wang. „Rij voorzichtig." En tegen Robin: „En jij, gedraag je onderweg. Het is een heel eind. Niet gaan zeuren van 'zijn we er nou nog niet'."
Robin zei niets terug, kroop achter in de auto. In de spiegel zag Linde dat hij niet meer omkeek. Toen ze de stad uitreden slaakte hij een diepe zucht en leek zich eindelijk wat te ontspannen.
„Wil je wel naar opa en oma?" vroeg ze, in het besef dat als hij nu nee zei, ze een probleem had.
„Als Jack niet meegaat wel."
Ze fronste. „Ik vind wel dat je onaardig doet over Jack. Hij gaat niet mee en hij komt ook niet meer bij ons wonen."
Robin zweeg verder. Blijkbaar voelde hij aan dat ze niet

steeds in negatieve zin over Jack wilde praten. Hij moest toch ook leren dat je niet zo duidelijk je antipathie tegenover iemand kon laten blijken. Hij was nu acht jaar. Hem omgangsregels bij brengen, hem opvoeden, dat was haar taak.
De reis verliep voorspoedig. Ze was eerst van plan geweest om ergens een hotel te zoeken, maar Robin viel in de auto in slaap, dus deed ze de rit in één keer.
Haar ouders hadden een huis in de Dordogne. Een rustig heuvelachtig gebied met stille dorpjes en afgelegen boerderijen.
Het was half twaalf in de avond toen ze er aankwam. Er brandde een lamp bij het smeedijzeren hek dat de tuin afsloot. In het halfdonker zag ze dat de tuin in terrassen was aangelegd. Er was hier ongetwijfeld veel veranderd de laatste jaren. Toen ze het hek indraaide floepten er enkele lichten aan en zag ze het huis helder verlicht. De voordeur zwaaide open en Ine en Paul kwamen meteen naar buiten.
Linde stapte uit en liep hen tegemoet. „Kind, wat fijn dat je er bent! We hebben elkaar zolang niet gezien."
Linde ging er niet op in. Ze wilde zich niet verdedigen. Na de begroeting maakte ze Robin zachtjes wakker. Hij stommelde de auto uit en keek wazig om zich heen.
„Hem kun je maar het beste meteen in bed leggen," merkte haar vader op. Ze knikte en volgde hem naar de ruime logeerkamer waar twee bedden stonden. Er was ook een zitje, een bureau en zelfs een kleine televisie.
„Nou mam, dat ziet er uit of ik hier ga wonen," zei ze.
„Misschien wil je eens wat vaker langskomen," zei haar moeder wat verlegen.
„Het is niet naast de deur," antwoordde ze kort. Ze legde Robin in bed, trok hem alleen zijn jas en schoenen uit. Hij sliep alweer.

„Zullen wij nog wat drinken?" vroeg haar moeder.
Linde volgde haar naar de ruime woonkamer. Het was een gezellig vertrek, veel meubels waren nieuw. Toen ze er iets van zei knikte haar vader.
„Het is eigenlijk een beetje ons tweede leven. Wij genieten hier echt. Het is goed dat wij dit hebben doorgezet, na alles wat er gebeurd is."
Kunnen jullie alles zo gemakkelijk achter je laten? dacht Linde, maar ze zei het niet. Voor je het wist kwamen er verwijten over en weer.
„Wij kunnen deze week wel met Robin optrekken, zodat jij even vrij bent," zei haar moeder nu.
„Ik zorg met plezier voor Robin," zei Linde stroef.
„Maar daarom is het wel zwaar. Waarom is Jack niet meegekomen?"
Ze aarzelde.
„Of zijn jullie uit elkaar?" vroeg haar vader.
„Niet helemaal. Maar hij wil niet in jullie huis komen wonen. Dus ik trek daar alleen in. Met Robin."
„Robin is dus het struikelblok tussen jullie," meende haar moeder te weten.
Linde nam het laatste slokje van haar thee. „Als jullie het niet erg vinden ga ik nu naar bed. Het was een lange rit. Praten, daar hebben we deze week nog tijd genoeg voor."
En dat zou ook gebeuren, dacht ze even later op haar kamer. Ze zouden niet alleen praten over het huis, de omgeving en hoe fijn het was om hier te wonen. Ze wilde over Sofie praten. En over Robin, duidelijk maken dat ze van het kind hield. Zeggen dat zij als opa en oma ook wel enkele verplichtingen hadden. Al stuurden ze hun kleinzoon alleen maar regelmatig briefjes en kaarten. Ze waren dit jaar zelfs zijn verjaardag vergeten. Het leek er op of ze zowel Sofie als haar zoon wilden uitvegen. En dat zou ze niet laten gebeuren.

De volgende morgen was het vrij zonnig. Het beloofde een mooie dag te worden. Het was nog maar eind april, maar de lente begon hier toch wat eerder dan in Nederland. Na het ontbijt zocht ze een beschut plekje in de tuin.
„Wij kunnen wel met Robin naar de markt gaan," stelde haar moeder voor.
Dat was wel een goed idee. Robin zou zijn ogen uitkijken op zo'n levendige Franse markt, waar ze elkaar probeerden te overschreeuwen met het aanprijzen van hun waren.
„Ga jij niet mee?" vroeg Robin, duidelijk teleurgesteld.
„Linde moet een beetje uitrusten, ze is moe," antwoordde haar moeder.
„Ben je ziek?" vroeg Robin direct ongerust.
„Natuurlijk niet," antwoordde Linde met een waarschuwende blik naar haar moeder. Het kind was de voortdurende vermoeidheid van zijn moeder nog niet vergeten en ook niet waar dat toe geleid had. Maar ze besloot toch thuis te blijven. Ze wilde graag een poosje alleen zijn.
Toen ze waren vertrokken, wandelde ze eerst de hele tuin door. Je kon hier werkelijk een wandeling van een kwartier maken. En overal waren zitjes. Ze hadden het wel voor elkaar, haar ouders. Voor het eerst vroeg ze zich af of Robin hier misschien gelukkiger zou zijn dan zoals hij nu woonde. Samen met haar in een plaats waar iedereen haar kende en ook wist van zijn moeder. Haar vader was een bekende persoon in het dorp geweest, had enige tijd in de gemeenteraad gezeten. Hier wist niemand van Robins achtergrond en zou hij met een schone lei kunnen beginnen. Maar nee, Robin zou dat niet willen, zij was het enige houvast dat hij had.
Later zocht ze opnieuw een beschutte plaats op, soesde een beetje weg. Toen haar telefoon ging, bedacht ze dat ze Jack nog niet gebeld had.. Natuurlijk was hij het.

„Ik neem niet aan dat je nog steeds onderweg bent," klonk het korzelig.
„Nee. Maar dat had wel gekund. Het is een heel eind," probeerde ze opgewekt.
„Je had beloofd te bellen bij aankomst," herinnerde hij haar duidelijk boos.
„Je hebt gelijk. Maar het was gisteren al bijna twaalf uur toen ik aan kwam. En vanmorgen heb ik er nog niet aan gedacht. Sorry, dat was slordig."
„Ongeïnteresseerd lijkt me een beter woord. Linde, als je nog iets van onze relatie wilt maken, laat Robin dan bij je ouders. Ze zijn nu nog betrekkelijk jong. Hij heeft dan in ieder geval twee mensen die van hem houden. En jij hoeft de rest van je leven niet op te offeren."
„Daar hebben we het al over gehad, Jack," zei ze met een zucht.
„Je wilt niet meer, is dat het?"
Ze antwoordde hier niet op. Hij had wel gelijk, maar het klonk zo definitief. „We praten er nog over, Jack. Ik moet nu afbreken, mijn ouders komen er aan." Voor hij verder kon vragen had ze de telefoon uitgezet.
Haar ouders hadden een racebaan voor Robin gekocht met een paar autootjes. Paul ging met zijn kleinzoon mee om de baan uit te leggen op het terras.
Toen haar moeder met koffie kwam zei Linde: „Daar had ik wel voor kunnen zorgen. Jullie zijn al de hele morgen aan het sjouwen."
„Dat valt wel mee. Ik wil dat jij een beetje rustig aan doet."
„Mam, behandel me niet als een zieke. Dan gaat Robin zich erg ongerust maken. Hij weet het nog van zijn moeder."
„Hij is nog veel te jong om daar mee bezig te zijn. Je moet proberen hem af te leiden als hij over haar begint."
„Denk je? Je vindt dus dat hij haar moet vergeten, net zoals jullie dat proberen?"

„Wij zoeken afleiding, het is de enige manier om te overleven.
„Robin is het enige wat jullie van Sofie hebben."
„Ik weet het. Hij lijkt sprekend op zijn vader, vind je niet?"
„Op Jean Luc? Zo vaak hebben jullie hem niet ontmoet. Jullie waren de meeste tijd hier en hij was vaak op reis als jullie in Nederland waren."
Langzaam zei Ine: „Ze zijn hier een keer geweest toen alles nog goed leek. Maar ik dacht toen al: Sofie houdt te veel van hem. Ze was zeventien jaar toen alles begon. Jean Luc was zeven jaar ouder. Aanvankelijk vond hij de aanbidding van een zeventienjarige wel leuk. Maar op een keer zei hij: 'ze heeft me achterna gezeten met de geniale vastberadenheid van een veldheer'. Dat klonk niet of hij het prettig vond."
„Maar hij bleef wel bij haar, genoot van haar aanbidding tot hij haar met het kind liet zitten," zei Linde scherp.
„Ze vlinderde door het leven. Hij was een volwassen man. Het was geen serieuze relatie," zei Ine.
„Ben je nu die vent aan het verdedigen?" vroeg Linde fel.
„Ik probeer een oorzaak te vinden waarom hij bij haar weg ging."
„En dan leg je de schuld maar bij Sofie."
„Laten we hier geen ruzie over maken. De manier waarop Sofie van hem hield was geen volwassen liefde, daar blijf ik bij," zei Ine vastberaden.
„Kan zijn, maar later was het dat wel. Zeker toen Robin er was."
„Ik weet ook niet waarom Jean Luc plotseling verdwenen is en nooit meer iets van zich heeft laten horen. Ik heb geprobeerd er met Sofie over te praten, maar ze raakte iedere keer over haar toeren. Voor hij wegging gebruikte ze al. Je vader had dit sneller door dan ik. Hij bleef haar waarschuwen, maar ze zei dat het haar leven was."

„Het was allemaal anders gelopen als Jean Luc zich niet als een schoft had gedragen," zei Linde koppig. Ine antwoordde niet, riep Paul voor de koffie, schoof wat met de stoelen. Linde keek naar haar bedrijvigheid en vroeg zich af hoe ze zo afstandelijk kon reageren. Sofie was haar jongste dochter. Men zei altijd dat ouders niet over het verlies van een kind heen kwamen.
Even later kwam haar vader bij hen zitten. Robin bleef op het terras. „Het is een slim kereltje," zei Paul niet zonder trots. „Maar ach, ik had van Sofie ook hoge verwachtingen. Zij was zo pienter. Maar in plaats van een studie te beginnen stak ze al haar energie in een hopeloze verliefdheid. Met zo'n triest resultaat." Hij keek Linde aan. „Je weet dat Robin ook hier mag blijven. Het is voor jou zwaar alleen een kind op te voeden. Daardoor zijn er ook problemen met Jack ontstaan, is het niet?"
Linde zette langzaam haar kopje neer. „Robin blijft bij mij. Ik wil zijn wereldje niet opnieuw overhoop halen. Weet je, ik dacht: laat ik eens naar mijn ouders gaan, misschien kunnen we het verdriet om Sofie delen. En wat gebeurt er? Moeder praat over Jean Luc alsof hij het slachtoffer is. Ze doet of Sofie alles zelf over zich heeft afgeroepen. Maar als die kerel haar niet had laten zitten met een kind van twee jaar, was ze nooit zo verslaafd geraakt. Ze had het proces nog kunnen stoppen als hij van haar had gehouden. Hij heeft haar hart gebroken. Ze is sinds zijn vertrek nooit meer vrolijk geweest. Maar dat weten jullie niet. Jullie hebben haar in al die jaren misschien twee keer gezien. Jullie vertrokken naar Frankrijk om haar te vergeten."
Ine had nu tranen in de ogen. „Ze wilde mij niet meer zien, Linde. Je vader heeft haar nog enkele keren opgezocht, maar ze weigerde hem binnen te laten. We kwamen haar een keer tegen in de stad. Ze deed alsof ze ons niet kende."

„Daar zal ze haar redenen wel voor hebben gehad."
„Denk je?"
Linde zweeg. Had ze wel het recht haar ouders iets te verwijten? Ze hadden hun dochter verloren. Zij gingen daar anders mee om dan ze had verwacht. Ze waren niet, zoals zijzelf, woedend op Jean Luc. Haar moeder huilde nu, stille tranen liepen over haar wangen.
„Ik zou willen dat jij je moeder niet zo van streek maakte," zei haar vader nu. „Het verlies van Sofie heeft een gat in ons leven geslagen. Maar vergeet niet, we waren haar al jaren kwijt."
„Ik had jullie geen verwijten moeten maken," gaf Linde toe.
„Ik hoop dat Jean Luc nog eens van zich laat horen," zei Paul nu. „Hij weet niet hoe slecht het met Sofie is afgelopen."
„Iemand kan hem bericht hebben gestuurd," meende Linde.
„Dat denk ik toch niet. Dan zou hij teruggekomen zijn."
„Waarom zou hij? Hij heeft haar toch in de steek gelaten!"
Zoals altijd als ze aan Jean Luc dacht werd ze weer kwaad. Het was goed dat Robin nu hun richting uitkwam. Zijn gezichtje stond zorgelijk. „Maken jullie ruzie?" vroeg hij.
„Nee. We praatten over je mama en toen werden we verdrietig," antwoordde Linde. Hij keek van de een naar de ander, ging dan bij Linde staan die haar arm om zijn schouders legde.
„Soms ben ik vergeten hoe mamma er uit zag," zei hij zacht. „Ik ben zo bang dat ik haar helemaal vergeet."
„Je zult haar nooit vergeten en wij ook niet. Maar ik denk toch dat ze zou willen dat jij het fijn hebt," zei Linde met een brok in haar keel.
„Zou je hier willen blijven, Robin?" vroeg haar vader toen.

Robin maakte een schrikbeweging. „Moet dat?" vroeg hij onzeker.
„Nee hoor. Je gaat met mij mee en wij gaan in het huis van opa en oma wonen," zei Linde rustig.
„Zonder Jack," bedong Robin. Ze knikte alleen. Toen het kind even later naar het terras was teruggegaan zei haar vader: „Valt het je niet op dat hij je hele leven bepaalt?"
Linde wist dat als ze nu niet oppaste ze zo weer in een woordenwisseling verzeild zou raken.
„Is dat niet altijd zo met kinderen?" reageerde ze. „Ik zei al dat Jack toch niet de persoon is met wie ik verder wil. Daar heeft Robin niets mee te maken." Het was niet helemaal waar en haar ouders wisten dat. Gelukkig zeiden ze er niets meer over.
„Als je hulp nodig hebt of als de zorg te zwaar voor je wordt, zul je ons dan waarschuwen?" vroeg Ine.
„Moeder! Het gaat om één kind."
„Ja, maar het is niet jouw kind. En dat maakt een heel verschil."
Linde ging er niet op in. Het had geen zin haar ouders proberen te overtuigen dat dit haar eigen beslissing was en dat ze niet anders wilde. Ze gingen er van uit dat zij een zware last op haar schouders had genomen, maar zo voelde het niet.
„Laten we dit onderwerp nu maar laten rusten," zei Paul nu. „Je bent hier nu met Robin, we kunnen er beter van genieten."
Linde haalde opgelucht adem. Ze had over haar zusje willen praten, het verdriet om haar willen delen, maar ze kwamen steeds op een zijspoor terecht.
Haar vader vertelde nu over de verbouwing van het huis en hoeveel tijd het had gekost. „En hoeveel ergernis," voegde Ine er aan toe. „Heel vaak werden afspraken niet nagekomen. Dan werden er bijvoorbeeld verkeerde tegels

geleverd voor de badkamer. En als wij geïrriteerd raakten waren zij heel verbaasd. Er kwamen immers nog dagen genoeg."

„Nu kan ik de humor er wel van inzien," zei Paul. „Maar in Nederland zijn wij dat anders gewend. „Ik kreeg ook zo'n hekel aan de voortdurende rotzooi," zuchtte Ine. „Jij zou daar ook niet tegen kunnen."

„Ik niet. Maar Sofie..." Ze zweeg abrupt. Haar moeder ging er niet op in, schonk de kopjes nog eens vol. Ze zou hen nu kunnen vertellen over de ongelofelijke bende in Sofies laatste onderkomen. Niet veel groter dan een flinke inloopkast was het kamertje geweest. Zij zou hen ook kunnen vertellen dat zij haar zusje doodziek op het station had weggehaald en naar het ziekenhuis had gebracht. Daar was ze nog enkele dagen als een prinses behandeld, zoals Sofie het zelf had uitgedrukt. Maar als ze meer wilden weten was haar moeder wel op haar laatste opmerking ingegaan. In plaats daarvan praatte ze met vader over iets wat in de tuin veranderd moest worden. Linde klemde haar handen ineen. Het was goed dat ze hier maar een week was. Ze zou zich voortdurend blijven opwinden omdat haar ouders in haar ogen alle verdriet en narigheid om Sofie leken te hebben verdrongen.

HOOFDSTUK 4

De dagen daarna verliepen in redelijke harmonie. Het feit dat er niet over haar zusje gepraat kon worden, deed Linde nog steeds pijn. Maar ze roerde het onderwerp niet meer aan. Ondanks alles probeerde ze van de zonnige dagen te genieten. Robin vermaakte zich prima in de grote tuin en met zijn racebaan. Hij weigerde echter bij zijn opa en oma te blijven als Linde een keer naar een stadje in de buurt wilde. Dus nam ze hem overal mee naar toe en negeerde de openlijke afkeuring van haar vader. „Ze heeft totaal geen eigen leven," hoorde ze hem een keer tegen haar moeder mopperen. Dus was ze aan één kant blij toen de week om was. Op de een of andere manier werd ze toch beïnvloed. Soms dacht ze zelfs even dat ze Sofie misschien die belofte niet had moeten doen. Maar ze had niet anders gekund en als ze opnieuw voor de vraag zou staan zou ze het weer op zich nemen. Ze hield van het kind en hij van haar.

De laatste avond, toen ze nog even de tuin inliep, kwam haar moeder haar achterna.

„Ben je blij dat je weer naar huis kunt?" vroeg ze tot Lindes verbazing.

„Ik heb geen spijt dat ik ben gekomen," antwoordde ze diplomatiek.

„Maar je had er meer van verwacht," veronderstelde Ine.

„Ja," zei ze eerlijk. „Ik wilde over Sofie praten. Ik mis haar heel erg. Er is dat laatste jaar zoveel gebeurd. Ik voelde me soms erg alleen. Jack kon totaal geen medelijden opbrengen. Hij zei maar steeds: ze heeft er zelf voor gekozen."

„Ze is altijd in mijn gedachten," zei Ine nu. „Maar ik kan er niet over praten. Misschien later."

„Goed, Mam. Ik hoop dat je het mij laat weten als je zover bent."

„Dat zal ik zeker doen." Daarna praatten ze over hun huis waar Linde nu ging wonen.
„Ik ben blij dat we het niet hoeven verkopen. Ik heb daar altijd met plezier gewoond," zei Ine en vervolgde: „Maar de laatste keer dat ik er geweest ben - dat was vorig jaar - kwam Sofie ook. Er is daar zoveel wat mij aan haar herinnert. Ik kan dat niet aan. Misschien is het vluchtgedrag. Misschien moet ik niets ontlopen, moet ik er juist dwars door heen."
„Laat nu maar ,mam." Linde besefte dat ze bij haar ouders wel iets had losgemaakt. Het was er voor hen niet gemakkelijker op geworden na haar bezoek.
Na een wat emotioneel afscheid reed Linde de volgende morgen vroeg weg. Toch wilde ze zich niet schuldig voelen omdat ze over Sofie was begonnen. Je kon nu eenmaal niet zeggen dat het boek gesloten was. Zover zou het waarschijnlijk nooit komen.
Ze reed de afstand opnieuw in één dag en kwam met een slapende Robin thuis. Ze had besloten de eerste dagen niet naar Jack toe te gaan. Ze woonde vanaf nu in dit huis. Het zou zeker moeten wennen. Maar ze hield gelukkig haar zelfde werk. Robin moest wel naar een andere school en ze hoopte maar dat hij snel werd geaccepteerd.
De volgende dag was Robin nog vrij, evenals zijzelf. Hij hield zich nu bezig met het verkennen van het hele huis. Toen zijzelf wat in de tuin rondliep, kwam de buurvrouw naar buiten. Ze hadden al kennisgemaakt. Frances was iets ouder dan Linde, ze was getrouwd en had een zoon van veertien die Roel heette.
„Dus je bent er weer," begon ze met een weinig originele openingszin.
„Morgen moet ik weer naar mijn werk en Robin gaat dan naar school," verklaarde Linde.
„Van de week was er iemand bij je aan de deur. Omdat je

er niet was kwam hij ook bij mij en vroeg van alles. Maar zoveel weet ik ook niet. Hij leek nogal in je geïnteresseerd. Ja, het was een man. Een knappe man ook." Het klonk een beetje nieuwsgierig.
„Ik ken geen knappe mannen," zei Linde afwerend.
„Dat zal niet. Zo'n mooie meid als jij bent. Maar hij komt nog terug."
„Ik ben benieuwd," reageerde Linde, hoewel dit niet helemaal waar was. Een bang vermoeden begon haar te bekruipen. Maar ze wilde Frances niet uithoren. Ze kon beter doen of het haar weinig interesseerde. Toch vroeg ze: „Heeft hij gezegd dat hij terugkwam?"
„Ja, hij mompelde zoiets. In mij was hij niet geïnteresseerd." Het klonk een beetje spijtig en Linde lachte. „Nou, ik kan je verzekeren: in mij ook niet. Ik weet tenminste nergens van. Trouwens, ik heb een zoon en dat schrikt de meeste mannen af."
„Kom je hier dan alleen wonen?" Frances had Jack een paar keer gezien toen hij wat spullen van haar bracht.
„Ja, dat is de bedoeling." Linde knikte kort en ging naar binnen hoewel dat niet direct haar bedoeling was geweest. Die Frances stelde gemakkelijk vragen en zij had geen zin haar veel wijzer te maken.
Binnen deed ze een spelletje met Robin en daarna gingen ze even op de fiets langs zijn nieuwe school. „Hij is kleiner dan die andere," ontdekte Robin.
„Dat denk ik ook. In de stad wonen natuurlijk meer kinderen."
„Als ik maar niet word gepest," zei hij met een bezorgde frons boven zijn ogen.
„Waarom zouden ze dat doen? Je bent op die andere school toch ook niet gepest."
Hij keek haar aan en die blik zei haar dat ze lang niet alles wist. Wat liep dat kind toch vaak in zijn eentje te tobben,

dacht ze. Ze stapten af bij een klein park. Het was er rustig en door de vele hoge struiken die sommige paadjes half overwoekerden heerste er een intieme sfeer. Er was ook een vijver met enkele zwanen. Ze ging vlakbij het water zitten en gaf Robin een meegebrachte fruitkoek en een pakje chocomel. „Het lijkt wel een picknick," zei hij.
Ze glimlachte. „Dat kunnen we nog wel eens doen. Als ik weer een auto heb kunnen we in het weekend wat verder weg. Jack kijkt voor mij uit naar een niet te dure auto."
„Waarom moet Jack dat doen?" vroeg hij onwillig.
„Omdat hij er verstand van heeft." Ze was niet van plan Jacks naam nooit meer te noemen.
„Kom eens zitten," vroeg ze toen. „Ik wil graag weten waarom je bent gepest."
Hij bleef staan en zweeg.
„Kom Robin, als je niks zegt kan ik je niet helpen."
„Dat kun je ook niet."
Ze bleef hem afwachtend aankijken.
Met tegenzin zei hij: „Ik heb het wel eens gezegd. Het gaat er altijd over dat ik geen vader heb. En dat jij mijn moeder niet bent. Ze weten altijd alles. Iedereen heeft een vader."
Linde gaf niet direct antwoord. Ze had hem nooit willen vertellen dat zijn vader hem in de steek had gelaten. Moest ze dat nu wel doen?
„Ik weet niet waar je vader is. Ik weet wel dat je mama veel van hem hield."
„Maar hij zeker niet van haar?" klonk het veel te wijs voor een jongetje van acht jaar.
„In elk geval, als ze je hier weer plagen vertel het me dan. Dan probeer ik er iets aan te doen."
Hij keek sceptisch, liep naar de vijver en gooide zijn laatste stukje koek naar de zwanen.
Linde tuurde even naar het water, sloot dan haar ogen voor de weerspiegeling van de zon. Het was hier vredig.

Het was waarschijnlijk ook goed voor haar, om opnieuw te beginnen. Hoewel het ook nog mogelijk was dat zijzelf hier niet meer zou kunnen wennen.
Toen ze haar ogen opende zag ze Robin niet meer. Meteen bonsde haar hart in haar keel, maar ze zei tegen zichzelf dat ze kalm moest blijven. Wat kon het kind hier overkomen? Ze keek om zich heen, stond op en riep zijn naam. En ineens zag ze hem. Hij kwam uit een van de paadjes aan de hand van een man. Een vreemde...? Verre van dat! Dit kon toch niet waar zijn! Misschien herkende hij haar niet. Maar dat leek onwaarschijnlijk.
„Robin, ga onmiddellijk mee. Je mag niet met een vreemde meegaan," riep ze boos.
De man stond bij haar stil. O, ze zou hem overal herkend hebben. Hij was lang, donker en een beetje slungelig. Zijn bruine ogen waarin ze zich een vonkje humor herinnerde, keken nu uiterst koel op haar neer. „Zo, Linde. Een vreemde, zei je dat echt?"
Hij wierp een blik op het kind. „Wie zou je dat kunnen wijsmaken?" Het was een feit" Robin leek sprekend op hem. Hij liet de hand van het kind los dat bij hen vandaan liep naar een jonge hond die op het gras speelde.
„Je bent me een verklaring schuldig. Wat doe je hier met mijn zoon, Linde? Heeft zijn moeder haar bezigheden buitenshuis?"
„Hoe durf je," beet ze hem toe.
„Ik weet dat we elkaar niet zo mochten. Maar moet je nu na zes jaar direct in de aanval gaan?" Hij had een diepe, warme stem en ze herinnerde zich ineens Sofietjes woorden: „Zijn stem. Als ik zijn stem hoor, dan smelt ik."
Onverhoeds schoten haar de tranen in de ogen. Hij was dus teruggekomen. Voor Sofie veel te laat. Ze riep Robin. „Kom, we gaan naar huis."
„We moeten praten, Linde. En zeg me waar ik Sofie kan

vinden." Ze keek hem even aan, maar zei niets.
„Ik kom vanavond naar je toe," zei hij. „Ik heb even tijd nodig om te verwerken dat ik onverwacht mijn zoon tegen het lijf liep. Ik herkende hem omdat ik jou al had zien zitten. Zo'n bijzondere haarkleur kom je niet vaak tegen. En toen zei de jongen zijn naam. Hij hoeft mijn zoon niet te zijn. Hij kan van jou zijn. Of van Sofie en een andere man. Maar de gelijkenis is wel treffend."
Ze zei nog steeds niets, pakte Robin bij de hand. „We gaan," zei ze opnieuw. Robin protesteerde niet. Waarschijnlijk voelde hij de spanning tussen hen.
Ze pakte haar fiets en Robin deed hetzelfde. Jean Luc kwam hen niet achterna. Maar hij zou hier zeker op terugkomen. Hij wist dus nog steeds niets van Sofietjes dood. Hij praatte zelfs met een zekere minachting over haar. Haar zusje, die hem had aanbeden vanaf haar zeventiende jaar. En hij had die liefde achteloos weggegooid en was zijn eigen weg gegaan. Hoe durfde hij te veronderstellen dat Sofie met iemand anders een relatie had aangeknoopt! Hij wist toch hoeveel ze van hem hield. Althans, dat behoorde hij te weten.
„Je zei dat hij een vreemde was. Maar hij kende jou want hij wist je naam," zei Robin naast haar.
„Ja, ik ken hem van lang geleden," zei ze vaag.
„Hij zei dat hij vanavond naar je toe komt," wist Robin nog te melden.
Ze haalde de schouders op. „Hij zal heus niet lang blijven." Robin zei niets meer totdat ze thuis waren en ze wat te drinken voor hen maakte. Het kind stond bij haar in de keuken en Linde wist dat hij iets wilde zeggen.
„Weet je," begon hij aarzelend. „Hij was best wel aardig. Eigenlijk deed hij een beetje raar toen ik zei hoe ik heette. Het leek wel of hij ging huilen. Maar dat doen mannen niet hè?"

„De meeste niet," antwoordde Linde die niet van plan was zachtere gevoelens voor Jean Luc toe te laten.
„Het leek net of hij blij was mij te zien," meldde Robin nog, om er aan toe te voegen: „Misschien vindt hij jou ook aardig."
„Robin, wil je erover ophouden?" zei ze streng. „Ik vind hem niet aardig, dat weet ik wel zeker."
„Als ik nou maar gewoon een vader had zoals iedereen."
Linde ging er niet op in. Met de komst van Jean Luc waren de problemen gekomen, ze was er zeker van. Ze moest hem er in elk geval van overtuigen dat het niet verstandig was Robin te vertellen dat hij zijn vader was. Want het kind zou het heel moeilijk krijgen als het merkte dat zijn vader zijn eigen leven leidde en zijn zoon in de steek had gelaten.
Maar stel dat hij zijn zoon wilde opeisen, schoot door haar gedachten toen Robin al in bed lag. Dat kon hij niet, probeerde ze zichzelf gerust te stellen. Zij had de wettelijke voogdij. Robin stond op naam van zijn moeder en zodoende ook op de hare. Jean Luc had zijn recht volledig verspeeld door er vandoor te gaan, hoopte ze.

Ze probeerde zich te ontspannen met een boek, maar de tekst wilde niet tot haar doordringen.
Vanavond zou hij komen. Hoe zou hij reageren op de dood van Sofie? Zij was toch de moeder van zijn kind. En vooral, hoe zou zijzelf zich gedragen als hij het drama van haar zusje met een schouderophalen afdeed? Ze haalde diep adem. Ze voelde haar boosheid alweer opkomen. Ze moest de gedachte van zich afzetten dat Sofie nog in leven zou zijn als hij er niet vandoor was gegaan. Maar aan de andere kant wilde ze hem de waarheid naar zijn hoofd slingeren.
Toen er gebeld werd, schoot ze overeind uit haar stoel. Ze

had er voor kunnen kiezen net te doen of ze niet thuis was, bedacht ze te laat. Maar hij zou het vast niet na één keer opgeven.
In de gang wierp ze een snelle blik in de spiegel. Ze had zich een beetje opgemaakt. Niet dat ze het belangrijk vond er voor hem verzorgd uit te zien. Het gaf haar alleen wat zelfvertrouwen en dat had ze wel nodig. Ze opende de deur en zag als eerste een boeket bloemen. Zijn glimlach was uiterst charmant. „Ik hoop dat je dit wilt aannemen. Laten we niet met vijandigheden beginnen, Linde."
Om verdere discussie te voorkomen nam ze het boeketje van hem aan. Hij had een charme die hij als een lamp kon aanknippen, herinnerde ze zich. Ze liep de gang in en liet de deur openstaan. Hij volgde haar naar de keuken waar ze de bloemen in het water zette. Het was een verfijnd bladboeketje. Hij wist precies wat goed was, dacht ze geërgerd. Een grote bos zou overdreven zijn geweest.
„Wil je koffie of thee?" vroeg ze, zich naar hem omdraaiend. Ze schrok bijna van de intense blik waarmee hij haar opnam.
„Je bent erg mooi geworden," zei hij langzaam.
„Wil je daarmee ophouden?" reageerde ze ijzig. Ze was blij dat ze bezig kon zijn met de koffie, hoewel haar handen beefden. Ze was zenuwachtig, maar was dat vreemd, na alles wat er gebeurd was? Hij bleef staan tot de koffie klaar was en ze vroeg zich af of hij haar hart kon horen bonzen.
Even later ging ze hem voor de kamer in. Hij keek rond en zei: „Veel herinner ik mij nog van vroeger, hoewel ik hier niet vaak geweest ben. Woon je hier in je eentje, Linde?"

„Ik woon hier met Robin. Mijn relatie met Jack is nog niet echt voorbij, maar we wonen niet meer samen."
„Waarom is Robin bij jou? Mag ik eens raden: Sofie kan of wil niet voor hem zorgen. Kun je mij haar adres geven?"

Sofie kon niet voor hem zorgen! Daarin had hij gelijk. Haar adres! Ze gaf niet direct antwoord.
„Zeg het maar als ze met iemand samenwoont. Meer kinderen heeft. Ik zal heus geen scène maken. Maar ik wil wel met haar praten."
„Dat zal moeilijk gaan. Sofie is al meer dan een jaar dood."
Het was er uit en in de stilte die viel hoorde ze hem langzaam uit ademen. Ze keek hem aan en zag de verbijstering op zijn gezicht. „Wat is haar overkomen, Linde? Een ongeluk?"
„Ik houd het op liefdesverdriet, om die ouderwetse uitdrukking maar eens te gebruiken."
„Toch niet om mij, neem ik aan."
„O nee? Ben je nu echt zo naïef? Sinds je haar en je zoon in de steek liet was Sofie volkomen stuurloos. Ze begon steeds meer te gebruiken en ze raakte echt verslaafd. Uiteindelijk is ze overleden, ik vermoed aan een overdosis. Ze kon het leven zonder jou niet aan, Jean Luc."
„Zo heeft ze het jou verteld, neem ik aan."
„Maar zo was het toch ook? Mensen kunnen doodgaan aan een gebroken hart."
„Misschien is dat zo. Maar zij niet. Ik geef toe, ze heeft een aantal jaren van mij gehouden. Ze achtervolgde mij in het begin, belde mij op mijn werk. Ook toen we al samenwoonden en zij zwanger was."
„En dat werd je zat en je ging er vandoor," meende ze te weten.
„Zo zou het gegaan kunnen zijn. Maar het liep toch enigszins anders. Sofie verveelde zich vaak, ze was rusteloos en zocht vertier. Toen het kind anderhalf jaar was begon ze steeds meer uit te gaan. Ze nam hem gewoon mee. Ze gebruikte toen al. Ik weet dat ze oprecht probeerde trouw te zijn omdat ze inderdaad van me hield. Maar ze kon de aandacht van mannen niet altijd weerstaan en op een keer

zei ze dat ze hiv-besmet was. Ze beweerde dat ik geen risico liep, want we vrijden toen al haast niet meer. Ik liet me uiteraard testen en dat was gelukkig negatief. Toen, tijdens een ruzie, zei ze dat het kind mogelijk niet van mij was. De maat was vol en ik vertrok. Ik heb me enkele malen laten testen maar alles is goed. Het had ook anders kunnen aflopen. Sofie is dus aan aids overleden. Of aan een overdosis of aan een combinatie van beide."
Linde leunde met een doodsbleek gezicht tegen de stoelleuning. „Ik geloof je niet," fluisterde ze.
„Dat kan ik me wel voorstellen. Nu blijkt ineens dat jij je zus totaal niet kende. Ze heeft jou dus nooit de waarheid verteld. Het was gemakkelijk om mij de schuld te geven. Sorry Linde, ik zag geen manier om je dit voorzichtig te vertellen."
„Je kunt mij nu alles wijsmaken, want Sofie kan zich niet meer verdedigen. En zelfs als je de waarheid spreekt, hoe kon je haar dan in de steek laten, terwijl je wist dat ze ziek was?"
„Ik ben geen heilige," antwoordde hij kalm.
Ze zwegen geruime tijd. Hoewel Linde hem niet wilde geloven begreep ze toch dat het wel eens waar kon zijn wat hij verteld had.
Sofie was niet overleden aan een overdosis. Op het laatst had ze een zware longontsteking gekregen. De keren dat ze haar gezien had was ze altijd ziek: verkouden, keelontsteking, een vorm van eczeem. Ze was naïef geweest. Misschien hadden haar ouders meer begrepen dan zijzelf.
„Heb je dit ook aan mijn ouders verteld?" vroeg ze.
„Nee, waarom zou ik. Ik ben vertrokken toen Sofie nog redelijk functioneerde. Waarom zou ik je ouders een negatief beeld geven van hun dochter? Ik dacht, ze komen er vanzelf achter en dan is het vroeg genoeg. Blijkbaar niet dus. Ik zou het maar zo laten als ik jou was."

„Je liet ook je zoon in de steek," zei ze dan. „Heb jij je nooit afgevraagd hoe het met hem moest als Sofie er niet meer zou zijn?"
„Er zijn genoeg hiv-patiënten die nog jaren leven. Ik ging er niet vanuit dat ze zou overlijden en zeker niet zo spoedig. Waarschijnlijk heeft ze haar medicijnen niet goed ingenomen. Ze was slordig."
Linde stond op, vroeg hem of hij nog koffie wilde, maar hij bedankte.
„Het spijt me, ik had je dit alles veel liever niet verteld," zei hij.
„Wat ga je nu doen?" vroeg ze.
„Ik heb een nieuwe baan als directeur van een reisbureau in Rotterdam."
Hij zit wel erg dichtbij, was het eerste wat in haar opkwam.
„Er is een appartement vrij in de flat waar het reisbureau onderin zit. Daar ga ik in elk geval tijdelijk wonen. Ik heb een relatie die mogelijk serieus wordt. Na verloop van tijd wil ik Robin dan bij me nemen. Voor het zover is, zou ik hem regelmatig een weekend bij me willen hebben."
Linde ging weer zitten, ze had even het gevoel dat haar benen haar niet konden dragen. „Dat is absoluut uitgesloten," zei ze. Ze merkte dat ze beefde.
„Maar Linde, hij is mijn zoon. Voor jou is hij slechts het kind van je zuster."
„Je hoeft mij niet uit te leggen wie hij is. Ik heb Sofie beloofd voor Robin te zorgen en dat ga ik ook doen. Ik ben zijn voogd."
„Kan zijn, maar ik heb meer rechten."
„Denk dat maar niet. Je hebt zes jaar niet naar hem omgekeken! Denk je dat zoiets niet telt?"
„Sofie had gezegd dat hij mogelijk niet van mij was," verdedigde hij zich.

„Blijf dat dan maar geloven. Je denkt toch niet dat ik Robin uitlever aan een vader die nooit voor hem wilde zorgen en aan een volkomen vreemde vrouw."
„Het is de bedoeling dat wij elkaar leren kennen." Hij was nu opgestaan, zijn toon was ijzig. „Bovendien houdt Fleur van kinderen."
„Dan moet je maar zorgen dat ze er gauw een stel krijgt." zei ze hard. „Maar de zoon van mijn zusje krijgt ze niet." Ze dempte haar stem maar het was al te laat. De deur kierde open en Robin kwam binnen. „Waarom schreeuw je zo?" vroeg hij. Zijn blik ging naar Jean Luc. „Waarom is hij hier?"
„We praatten maar wat. Je moet niet uit je bed komen," zei Jean Luc.
„Daar heb jij niks over te zeggen," antwoordde Robin. En tegen Linde: „Wanneer gaat hij weg?"
„Nu," antwoordde Jean Luc voor haar. En met een blik naar Linde: „Probeer hem niet tegen mij op te zetten. Als ik dat merk, vertel ik hem direct de waarheid."
Hij knikte kort en verliet de kamer. Even later hoorden ze de deur achter hem dicht slaan.
Linde haalde diep adem en deed haar uiterste best om haar zelfbeheersing terug te krijgen.
„Wat kwam hij doen?" drong Robin aan.
„Ik ken hem van vroeger. En hij… hij heeft je mama ook goed gekend."
„En vind jij hem niet aardig?"
„Nee," zei ze kortaf. „Robin, je moet terug in je bed. Het is verder niet belangrijk."
Hij keek haar aan en ze zag dat hij haar niet geloofde. Toen hij weer in bed lag zei hij: „Misschien kwam hij over mama praten. Dat wil ik best."
„Dat kun je een andere keer ook met mij doen. En nu gaan slapen, Robin." Ze wist zeker dat het kind hier op terug zou komen.

Als Robin iets wilde weten liet hij zich zelden afschepen. Eenmaal terug in de kamer zette ze de televisie aan, maar drukte deze ook meteen weer uit. Dit had geen zin. Ze kon zich toch niet concentreren. Er kwamen nu problemen en ze wilde dat Jean Luc gebleven was waar hij was. De brutaliteit om direct maar zijn zoon op te eisen. En dan samen met die vrouw een gezin vormen zeker. Het was ondenkbaar. Linde maakte zich echter grote zorgen. Had Jean Luc werkelijk rechten? En wat als hij Robin de waarheid vertelde? Het kind zou hem willen leren kennen. Robin wilde zo graag een vader.
Hier kon ze met niemand over praten. Haar ouders zouden het net als Jack alleen maar toejuichen als ze de zorg voor Robin kon delen. En misschien was dat ook wel mogelijk geweest. Maar niet nu er ook een andere vrouw in het spel was. Die zou dan moedertje spelen over Robin. En misschien zou het kind straks liever daar zijn, vooral omdat daar zijn vader was.
Ze had haar zusje beloofd dat ze haar kind zou opvoeden. Maar Sofie was ervan uitgegaan dat Jean Luc nooit terug zou komen. Het was best mogelijk dat Sofie ook zou willen dat Robin bij zijn vader opgroeide. Wat wist ze uiteindelijk van haar? Ze had gedacht dat ze zo vertrouwd met elkaar waren. Maar haar zusje had haar nooit echt de waarheid verteld. Sofie had net gedaan of Jean Luc haar zonder meer in de steek had gelaten. Er waren echter wel degelijk gegronde redenen voor zijn vertrek geweest. Tenzij Jean Luc niet de waarheid sprak. Maar vreemd genoeg geloofde ze hem. Haar ouders zouden ook niet aan zijn verhaal twijfelen. Het was geen volwassen liefde, had haar moeder gezegd. Linde wist echter wel zeker dat Sofie echt van Jean Luc had gehouden en dat ze er later spijt van had gehad dat ze hem ontrouw was geweest. Misschien was het maar één keer voorgekomen, dacht

Linde. En zou Sofie dan door die ene persoon met hiv besmet zijn? Het kon ook door een besmette naald zijn gebeurd. Ze steunde het hoofd in de handen. O Sofietje, wat heb jij je leven verknoeid! Hoe kon je zo zonder enig verantwoordelijkheidsgevoel door het leven fladderen? Ze voelde dat ze voor het eerst boos werd op Sofie. Ze wilde haar ter verantwoording roepen. En dat was de schuld van Jean Luc. Hij had het beeld dat ze van haar zusje had beschadigd. Ze zou nu voor altijd anders tegen Sofie aankijken. Was het nodig geweest haar dit alles te vertellen? Ze had Jean Luc de schuld gegeven van Sofies dood. In feite was ze nog steeds van mening dat alles anders zou zijn gelopen als Jean Luc niet was vertrokken. Hij was tenslotte weggegaan terwijl hij wist dat ze ernstig ziek was. Een laffe vlucht. Ze veegde de tranen van haar wangen. En intussen probeerde hij ook nog haar leven overhoop te gooien. Maar dat zou hem niet lukken.
In de dagen die volgden moesten Robin en Linde heel erg wennen aan het nieuwe ritme. Ze bracht eerst Robin naar school, nam dan de bus naar haar werk en kwam daar pas om kwart over negen aan. Ter compensatie bleef ze 's middags wat langer. Ze haalde Robin dan uit school en moest daarna wel het een en ander in huis doen, de was, boodschappen en koken. Robin was veel in haar buurt. Ze zei hem steeds dat hij gerust een vriendje mocht meenemen, maar hij leek daar geen behoefte aan te hebben. Op school liep het goed volgens zijn juf. Hij was wat stilletjes, maar als het nodig was had hij zijn antwoord klaar, ook tegenover de kinderen. Hij was erg goed in sport en dat werd door veel kinderen gewaardeerd. Op de woensdag haalde Frances, haar buurvrouw, hem af en hij bleef dan een tijdje bij haar. Frances was hartelijk voor Robin, maar Linde was altijd bang dat ze hem vragen zou stellen over zijn vader en moeder. Het was echter niet

Frances maar haar zoon Roel die hierover begon.
Na twee weken weigerde Robin op een woensdag opeens om met Frances mee te gaan. „Je kunt niet op school blijven. Iedereen gaat weg," probeerde ze.
„Ik wacht hier wel tot Linde komt," zei het kind koppig. Frances zag de onverzettelijke trek op het kindergezichtje en zuchtte. „Ik heb Linde beloofd je te halen. Als jij niet mee wilt moet ik hier ook blijven. Ik laat je niet alleen."
Robin bleef echter zijn hoofd schudden.
„Wil je dan met mij meegaan naar jullie huis?"
„Goed. Maar ik ga niet bij jou naar binnen."
Frances zei niets. Het was natuurlijk belachelijk om beledigd te zijn over de opmerking van een kind. Ze was ervan overtuigd dat ze goed voor hem was. Ze verwende hem zelfs. Iets waar haar eigen zoon wat moeite mee had. Eenmaal thuis probeerde ze het nog eens. „Ik heb iets lekkers bij de thee," pleitte ze. „In mijn huis is toch niets waar je bang voor hoeft te zijn."
Hij schudde het hoofd, maar ging op de stoep van zijn eigen huis zitten. Frances opende de deur voor hem en bracht hem even later thee. Robin zat voor het raam en hij zou daar blijven zitten tot Linde thuiskwam. Frances liet hem tenslotte alleen, maar hield de tijd in de gaten. Linde kwam zoals gewoonlijk eerst naar haar toe om Robin op te halen.
„Hij is al in jullie huis," zei Frances toch een beetje verontwaardigd. „Ik weet niet wat hem bezielde, maar hij weigerde bij mij naar binnen te gaan. Roel snapt er ook niets van."
Haar slungelige zoon haalde de schouders op. „Kuren," bromde hij.
„Ik zou wel graag willen weten wat hem dwars zit," zei Frances nog.

„Als ik er achter ben krijg je dat te horen," antwoordde Linde. Ze haastte zich naar huis.
Net was ze een beetje tot rust gekomen in verband met Jean Luc. Ze had niets meer van hem gehoord. Misschien had hij toch ingezien dat hij geen rechten had. Of wilde zijn vriendin hem bij nader inzien niet met kind.
Robin zat nog steeds op de vensterbank, zijn gezicht verhelderde toen hij haar zag. Ze begroette hem eerst, vroeg dan: „Waarom ben je hier?"
„Dit is toch ons huis," zei hij logisch.
„Je weet dat de buurvrouw je op woensdag haalt en dat je dan een tijdje bij haar mag blijven. Waarom wilde je opeens niet? Frances vond dat niet leuk."
„Roel begint steeds over mijn vader. Hij vraagt waar hij is. En ook over mama. Hij zegt dat ze een rare vrouw was. En dat ze door haar eigen schuld een enge ziekte kreeg. En hij had Jack een keer gezien en vroeg of hij mijn vader was."
Linde ging zitten en trok het kind tegen zich aan. Wat moest ze hier nu mee? Het liefst zou ze die Roel eens flink de waarheid zeggen. Aan de andere kant kon je van een jongen van veertien misschien niet verwachten dat hij wist dat hij bepaalde dingen beter voor zich kon houden. Trouwens, zijn moeder nam ook geen blad voor de mond.
„Kun jij niet gaan trouwen?" vroeg Robin plotseling.
Ze lachte even. „Met wie?"
„Nou gewoon, met iemand die aardig is. En die ook mijn vader wil zijn."
Ze rommelde even door zijn donkere haar. „Wie weet gebeurt dat ooit. Ik zal wel met Roel praten."
„Was mijn mama echt raar?"
„Natuurlijk niet. Je herinnert je haar toch nog wel?"
„Ja, ze leek een beetje op jou."
Dat was waar. Ze had dezelfde bos mahoniekleurige lok-

ken. „Ze was heel bijzonder, jouw moeder," zei Linde zacht. Ze aarzelde. Moest ze het kind iets van de waarheid vertellen?
„Ze had verdriet omdat je vader weg was," zei ze toch maar.
„Waarom ging hij weg?" kwam onmiddellijk de onvermijdelijke vraag.
„Soms vinden mensen elkaar niet meer zo aardig. En dan is het beter als ze niet bij elkaar blijven. Zo ging het ook bij mij en Jack."
„Ja. Maar dat kwam door mij. Kwam het bij mijn vader ook door mij?"
„Nee. Hij hield niet meer van je moeder, maar wel van jou." Was dit de waarheid? vroeg ze zich af. Jean Luc had zijn kind wel heel gemakkelijk in de steek gelaten. Maar hij was er niet zeker van geweest dat hij echt de vader was, schoot haar te binnen.
Ach Sofietje, wat heb je een puinhoop van je leven gemaakt, dacht ze niet voor de eerste keer.
„Misschien komt mijn vader wel een keer terug," bedacht Robin nu.
„Wie weet," zei Linde. Ze vond dit niet het moment om Robin in te lichten dat zijn vader al terug was en sterker nog dat hij hem bij zich wilde nemen in een nieuw gezin. Maar ze zou niet kunnen blijven zwijgen. Het was niet eerlijk tegenover het kind. Hij kwam er toch een keer achter en dan zou hij het haar verwijten. „Ik zal met Roel praten," zei ze nog eens. „Dan ga je volgende week weer gewoon naar Frances."
Toen Robin die avond in bed lag vroeg ze Frances even langs te komen. „Weet je al wat hem dwars zat?" was haar eerste vraag.
Linde knikte. „Wil je iets drinken, koffie of thee?"
„Koffie graag." Linde was blij dat ze even bezig kon zijn.

Ze vond het moeilijk hierover te beginnen. Geen enkele moeder vond het leuk als haar kind van iets werd beschuldigd.
„Je weet wel ongeveer hoe de situatie hier in elkaar zit," begon ze. „Robins moeder, mijn zus, is overleden. Ik heb de zorg voor haar kind op mij genomen. Zijn vader is al enkele jaren geleden naar het buitenland vertrokken."
„Natuurlijk ben ik daarvan op de hoogte. Er is indertijd best over gepraat. De meeste mensen hebben bewondering voor het feit dat jij de zorg voor het kind op je hebt genomen. Maar wat wilde je mij vertellen?"
„Robin heeft het er soms moeilijk mee dat hij niet in een gewoon gezin opgroeit. En Roel..." Ze aarzelde, vertelde haar toch maar wat Roel had gezegd.
Frances fronste. „Ik kan niet geloven dat hij het zo heeft gezegd."
„Robin verzint dat niet," antwoordde Linde kalm. „Trouwens, Roel raakt niet alleen het kind, hij kwetst ook mij. Ik hield van mijn zus. Ze was niet raar, maar doodongelukkig en eenzaam."
Frances had een kleur gekregen. „Het spijt me, ik zal met Roel praten. Maar je kunt er maar beter op voorbereid zijn dat Robin vaker zoiets te horen zal krijgen. Het is niet altijd kwaad bedoeld. Misschien moet je toch proberen het kind wat weerbaarder te maken."

HOOFDSTUK 5

Toen ze weg was dacht Linde over haar woorden na. Weerbaar! Hoe kon Robin zich verweren tegen dergelijke opmerkingen? En zij had nog wel gemeend dat het in een dorp anders zou gaan dan in de stad. Maar zo gauw iemand afweek van het gewone werd dat maar moeilijk geaccepteerd.
Toen er werd gebeld dacht ze dat het Roel wel zou zijn die zich wilde verontschuldigen. Maar het was Jean Luc die op de stoep stond. Ze opende haar mond maar kon het eerste moment niets uitbrengen. Zijn glimlach was uiterst charmant toen hij vroeg: „Mag ik binnenkomen?"
„Noem me één goede reden waarom ik dit goed zou vinden," zei ze toen ze haar stem terug had.
„Dat mijn zoon hier woont en dat ik over hem wil praten," zei hij prompt.
Ze deed een stap opzij, vooral omdat ze niet wilde dat haar buurvrouw een woordenwisseling zou moeten aanhoren. Want dit werd geen rustig gesprek, daar was ze vrijwel zeker van. Ze voelde zich alweer kwaad worden. Maar dat was beter dan dat ze van slag raakte omdat hij zo'n knappe vent was.
Intussen waren ze in de kamer gekomen en was hij gaan zitten. Zij bleef staan.
„Wilde je mij iets te drinken aanbieden?" vroeg hij ironisch.
„Ik zal koffie zetten," zei ze, alweer blij dat ze even weg kon. Weigeren hem iets te drinken aanbieden zou kinderachtig zijn. Toen ze in de kamer terug kwam stond hij bij de lage kast met de foto van Sofie in zijn hand. „Zet onmiddellijk terug," zei ze koud.
Alsof hij haar niet gehoord had, zei hij: „Ze was zo'n leuk pittig ding. Ze had zoveel van haar leven kunnen maken.

Waarom moest ze ook met die rotzooi beginnen? En waarom begon ze iets met een ander?"
„Misschien omdat ze doorhad dat jij niet om haar gaf," zei Linde scherp.
„En die ander voor één of twee nachten gaf wel om haar, zeker. Hij bracht haar alleen ellende. Hij bezorgde haar heroïne. Zonder die zware middelen had ze er misschien nog vanaf gekund. Die ziekte zal ook wel door hem gekomen zijn."
Ze rukte het portret nu uit zijn handen. „Als je bent gekomen om over Sofie te praten is daar de deur."
„Met wie moet ik anders over haar praten?"
„Ik ben daarvoor niet de aangewezen persoon. Waarom wil je over haar praten? Je had beter bij haar kunnen blijven. Haar begeleider zijn in haar laatste maanden. Maar je was zo bang voor je eigen hachje dat je op de vlucht sloeg. Als je denkt dat ik daarvoor begrip kan opbrengen, dan zie je het toch echt verkeerd."
„Ik vraag geen begrip, alleen een beetje respect."
„Nou, dat heb ik dus niet. Als dit alles is..."
Hij haalde diep adem en pakte zijn koffiekopje. Lef had hij wel, dacht Linde.
„Ik kwam informeren hoe Robin het doet op zijn nieuwe school."
„Wel goed. Maar hij voelt zich een buitenbeentje. Hij trekt zich bepaalde dingen teveel aan." Waarop ze vertelde wat Roel had gezegd, maar had er direct weer spijt van. Dit was natuurlijk koren op zijn molen. Hij zou terecht zeggen dat Robin wel degelijk een vader had. Dat hij graag de taak van verzorger op zich wilde nemen.
En inderdaad, zijn antwoord was: „Ik heb je een oplossing geboden."
„Ik houd me aan mijn belofte tegenover Sofie," zei ze strak.
„Als Sofie zoveel van me hield als jij beweert, zou ze het

dan ook niet geweldig vinden als ik je de zorg voor een deel uit handen nam? Ik wilde voorstellen dat jullie in het weekend met ons optrekken, dan kan hij vast aan Fleur wennen."

„Geen denken aan. Wil je zijn hele leven opnieuw overhoop gooien? Wat ben jij een egoïst. Altijd geweest." Ze stak een zo hartgrondig verontwaardigde redevoering af dat ze buiten adem was tegen de tijd dat haar arsenaal was uitgeput.

„Je bent onredelijk," zei hij ergerlijk kalm. „Begrijp je niet dat ik met je wil overleggen. Ik wil jou het kind niet afnemen. Maar je moet je eigen leven kunnen leiden en zijn wie je echt bent, namelijk zijn tante. Ik wil alleen zijn vader zijn."

„Wie z'n vader?" klonk het plotseling. Robin stond in de deuropening. Hij had de bezorgde trek op zijn gezicht die er de laatste tijd wel op leek vastgelijmd.

Linde keek Jean Luc strak aan. Zou hij het werkelijk wagen om het kind met de waarheid op te schepen?

„Ik wil graag iemands vader zijn. Die van jou bijvoorbeeld," antwoordde Jean Luc.

„Ik ken je helemaal niet." Robin kwam wat verder de kamer in en bleef bij Lindes stoel staan.

„Je zou hem kunnen nemen," zei het kind op gezellige toon tegen haar. „Hij is wel aardig geloof ik en hij zou hier kunnen wonen."

„Net zoals Jack," zei ze geïrriteerd.

„Deze zegt dat hij een vader wil zijn. Je zou het toch kunnen proberen," stelde Robin serieus voor.

„Ik probeer helemaal niks en jij gaat naar bed." Robin wist wanneer hij moest luisteren en hij ging gedwee. Linde stond op om hem achterna te gan.

„Je komt er wel uit," zei ze tegen Jean Luc. „Ik moet naar hem toe, hij zal van streek zijn."

„En dat is mijn schuld?"
„Natuurlijk. Misschien is het je niet kwalijk te nemen. Hoe zou je moeten weten hoe je een kind aanpakt? Trouwens, je contact met volwassenen verdient ook geen schoonheidsprijs."
„Ik ga niet weg voor wij een afspraak hebben gemaakt. Ik stel voor dat we gezamenlijk een dag naar de dierentuin gaan. Aanstaande zaterdag bijvoorbeeld. Je kunt weigeren, maar ik haal Robin hier gewoon op. Je kunt de waarheid niet blijven ontkennen, Linde. Ik wil mijn zoon leren kennen. En op langere termijn wil ik trouwen en weer een gezin zijn. Dat is voor Robin ook veel beter." Hij stond nu op en liep naar de deur. „Je hebt mij nooit gemogen," zei hij. „Hoewel je heel erg moest vechten tegen je verliefdheid. Heb jij Sofie soms tegen mij opgezet dat ze een ander moest kiezen?"
„Hoe durf je!" Ze hijgde en maakte een beweging alsof ze hem te lijf wilde gaan. Hij greep haar beide polsen.
„Zaterdag ben ik om tien uur hier. Ik zal Robin woensdag uit school halen en het hem vertellen. Ik neem aan dat je hem zo'n uitje niet wilt afnemen." Hij liet haar los en verliet het huis.
Ze stond roerloos op de drempel, merkte dat tranen van machteloosheid begonnen te vloeien. Ze smeet de deur dicht. Ze zou hem het plezier niet gunnen dat hij haar ontreddering zag. Wat moest ze hiermee? Het was chantage. Ze kon niet tegen hem op. Natuurlijk, ze kon alle medewerking blijven weigeren. Maar dan zou hij ongetwijfeld Robin inlichten. En die zou zo blij zijn dat hij een vader had, een vader die hem wilde, dat hij Jean Luc kritiekloos zou accepteren. Ze kon het kind niet vertellen hoe ze werkelijk over Jean Luc dacht. En het ware verhaal over zijn moeder mocht hij ook niet te weten komen.
Langzaam liep ze de kamer weer in, maar ze zat nog niet

toen Robin haar riep. Dat had ze kunnen verwachten. Toen ze bij hem kwam, zat hij rechtop in bed. „Wil die man met jou trouwen?" was zijn eerste vraag.
Ze schudde het hoofd, ging op de rand van zijn bed zitten. „Vond je die meneer aardig?" vroeg ze.
Het kind haalde de schouders op. „Ik ken hem niet. Maar we kunnen proberen..."
„Robin, ik weet hoe graag jij een vader wilt. Maar we kunnen niet zomaar de eerste de beste vreemdeling van de straat oppikken."
„Je zei dat je hem kende!"
Ze haalde diep adem. „Je hebt gelijk. Hij is je vader, Robin. Hij is weggegaan toen jij twee jaar was. Hij hield niet meer van je moeder."
„En dus ook niet van mij," trok Robin onmiddellijk zijn conclusie.
Ze wachtte even. Ze kon hem moeilijk zeggen dat Jean Luc had getwijfeld of Robin wel echt zijn zoon was. „Hij dacht dat je moeder wel goed voor je zou zorgen," hield ze een slag om de arm. „En nu wil hij je bij zich hebben."
„Wil hij dat ik bij hem ga wonen?"
„Zo af en toe in het weekend."
„En jij dan? Ga jij dan ook mee?"
„Nee. Hij gaat waarschijnlijk trouwen."
Ze zag aan zijn gezichtje dat hij nu diep nadacht. „En moet ik die ander dan mama noemen? Dat doe ik niet."
„Dat hoeft helemaal niet, lieverd. Maar om te beginnen wil hij", ze kreeg het niet over haar lippen om te zeggen 'je vader', „zaterdag met jou naar de dierentuin."
„Jij moet ook meegaan," eiste hij onmiddellijk, om direct voor de zoveelste keer duidelijk te maken: „Ik ken hem niet."
„Dat is zo. Maar hij wil jou graag leren kennen."
„Ik ga alleen als jij ook meegaat," zei hij opnieuw.

Daar zou ze dus wel niet onderuit kunnen, dacht ze toen ze weer terug was in de kamer. Ze wilde Robin ook eigenlijk niet alleen laten met Jean Luc en zijn vriendin. Het zou goed zijn te wensen dat het klikte tussen Robin en zijn vader. Maar dat kon ze niet opbrengen. Als ze eerlijk was hoopte ze dat Robin zijn vader na zaterdag nooit meer wilde zien.
Natuurlijk is dat bijzonder egoïstisch van me, praatte ze in gedachten tegen Sofie. Maar ik heb nu anderhalf jaar voor je zoon gezorgd en ik houd van hem. Het gaat nu vrij goed met hem. Jean Luc zal alleen maar onrust in zijn leventje brengen. Vijf jaar heeft hij als een vrijbuiter rondgereisd en nu wil hij ineens zijn zoon. Het is absurd en ik ben niet van plan hierin mee te gaan.
Ze zat even heel stil, maar antwoord kwam er niet. Meestal wist ze wel hoe Sofie onder bepaalde omstandigheden zou handelen, maar nu was het onduidelijk. Zou Sofie haar zoon aan Jean Luc toevertrouwen nadat hij haar en het kind aan hun lot had overgelaten? Ze kon hier geen antwoord op geven. Maar als Jean Luc van plan was dit uitje zaterdag door te drijven, dan zou ze meegaan.
Toen ging de telefoon. Als dit Jean Luc was met weer een ander onnozel plan, dan verbrak ze de verbinding meteen. Maar het was Jack. Ze haalde min of meer opgelucht adem en begroette hem hartelijk.
„Ik dacht zo, laat ik eens proberen een afspraak te maken. Of voel je daar niet voor?"
„Wat wilde je gaan doen?" hield ze zich op de vlakte.
„De paden op de lanen in," spotte hij. Hij kende haar behoefte om in de natuur te zijn. Toen zei hij: „Misschien kunnen we naar dat tuincentrum dat pas is geopend. Jij hebt nu immers een grote tuin. Daarna ergens koffie drinken, iets eten en 's avonds naar de film."

„Wanneer wilde je dat gaan doen?" vroeg ze hoewel ze het antwoord zelf wel kon bedenken.
„Wat vind je van zaterdag? We kunnen Robin meenemen en voor 's avonds een oppas regelen."
Hij had het al helemaal voor elkaar, dacht ze een beetje schuldig.
„Het lijkt me best leuk, maar zaterdag kan ik niet."
„Weet je zeker dat het niet gaat? De daaropvolgende zaterdagen is er steeds wat. Kun jij je afspraak niet verzetten?"
Dat zou natuurlijk kunnen, bedacht ze. Ze hoefde helemaal niet mee met de anderen.
„Is het zo belangrijk? Heb je een vriend?" vroeg hij.
Ze besloot open kaart te spelen en vertelde hem wat Jean Luc van plan was.
„Maar dat is toch prachtig. Dan is Robin verzorgd en hebben wij de dag voor onszelf. Dat is al anderhalf jaar niet voorgekomen."
Ze wist dat hij gelijk had, maar ze besefte ook dat ze er geen behoefte aan had om een dag met Jack door te brengen. „Ik kan Robin niet met hem mee laten gaan zonder dat ik erbij ben. Hij kent Jean Luc nauwelijks. Hij wil trouwens dat ik meega."
„Wie wil dat?"
„Robin."
„Ja, dat zal wel. Hij regelt je hele leven en je hebt het niet eens door. Jean Luc heeft een vriendin, zeg je. Jij hobbelt dus mee als het derde wiel aan de wagen. Denk je dat zij dat leuk vinden?"
„Het maakt me helemaal niet uit wat zij vinden. Robin is mijn zorg."
„Heel je leven draait om hem!"
„Dat heb je al vaker gezegd."
„Robin moet zo langzamerhand denken dat hij het mid-

delpunt van de wereld is. In elk geval van jouw wereld. Hij zal onuitstaanbaar worden."
„Hij heeft zijn moeder verloren," zei ze met een machteloos gevoel.
„Ja, en die kun jij niet vervangen. Ik begrijp niet dat je niet opgelucht bent dat zijn vader wat van de zorg wil overnemen. Maar goed, wij samen gaat dus niet door. Wat is er in feite nog tussen ons, Linde?"
„Weinig," gaf ze toe.
„Misschien moet je maar iets met Jean Luc beginnen. Dan heb je de man en het kind van je zuster."
„Doe niet zo belachelijk."
„Wacht maar eens af. Je praatte zo vaak over Jean Luc dat ik me al eerder afvroeg of je misschien meer van hem gecharmeerd was dan je zelf wilde toegeven."
„Zullen we dit gesprek nu maar beëindigen?" vroeg ze kortaf.
„Dat lijkt me ook. En veel plezier in de dierentuin."
Linde legde de telefoon voor zich op tafel. Hoe graag ze het ook wilde, ze kon Jacks woorden niet zomaar naast zich neerleggen. Robin, haar hele leven draaide om hem, had Jack gezegd.
Was dat niet altijd zo als je een kind had? Misschien kreeg Robin overdreven veel aandacht, maar hoe kon je dat voorkomen als je zo op elkaar was aangewezen als zij tweeën?
Er had zich nu een oplossing aangediend, bedacht ze. Alleen, die oplossing wilde ze niet. Wat is er nog tussen ons, had Jack gevraagd. Weinig of niets, dacht ze. Hoe kwam hij op de gedachte dat ze iets zou voelen voor Jean Luc? Ze vond hem niet eens aardig. Sterker nog, ze haatte hem om datgene wat hij haar zusje had aangedaan. Maar in het begin, toen Sofie hem pas kende, was ze wel eens jaloers geweest. Jean Luc was knap. Lang en donker met

bruine, humoristische ogen en een warme diepe stem. Maar toen was ze nog erg jong geweest. Nu wist ze dat uiterlijk niets zei over iemands karakter. Trouwens, Jean Luc had ook wel eens laten merken dat hij haar graag mocht. Weer een teken dat hij niet deugde, want hij woonde toen al samen met Sofie.
In elk geval ging ze morgen mee naar Blijdorp, of de anderen dat nu leuk vonden of niet.

Jean Luc haalde Robin op woensdag inderdaad uit school en bracht hem zelf naar Frances. Toen Linde hem kwam halen, barstte Frances direct los: „Wat een knappe vent was dat. Niet dat ik iedere knappe vent onmiddellijk zou vertrouwen. Maar hij zei dat jullie elkaar kenden en Robin gaf dat toe. Heb je een nieuwe vriend?"
„Hij is een kennis van vroeger," antwoordde ze kortaf. Frances wist wanneer ze te ver ging. „Sorry, ik wil me niet met jouw zaken bemoeien. Maar als hij er nog eens is, vind je het dan goed dat Robin met hem mee gaat?"
„Dat zal niet zo vaak voorkomen. En met hem mee mag Robin alleen als ik dat weet."
Ze wist dat ze niet bepaald vriendelijk reageerde, maar het optreden van Jean Luc maakte haar zenuwachtig.
Robin zei niets tot ze thuis waren. Linde wist niet goed wat ze hem moest vragen. „Hij is best aardig," zei het kind.
„Iemand die aardig doet, hoeft nog niet aardig te zijn," antwoordde ze kribbig. Dan besefte ze dat ze bezig was wantrouwen te zaaien.
„Hij vroeg over de dierentuin. Ik zei dat jij ook meeging en hij zei dat het niet hoefde."
Jammer, dacht Linde, je houdt mij niet tegen.
„Maar ik heb gezegd dat ik het wel wilde, want..."
„Je kent hem nog niet zo goed," vulde Linde aan.
„Ik wil niet alleen met hem. Is hij echt mijn vader?"

Ze zou nu kunnen zeggen dat ze daar niet zeker van was, maar dat zou niet fair zijn. Je hoefde maar naar die twee gezichten te kijken. Niemand zou kunnen ontkennen dat ze vader en zoon waren. „Hij is je vader," reageerde ze. Ze hoorde zelf dat het afwijzend klonk.
„Jij vindt het niet leuk," concludeerde Robin. „Maar ik ga heus niet met hem naar een ander land."
„Hoe kom je daar nou bij? Heeft hij het daarover gehad?"
„Hij vertelde dat hij veel heeft gereisd en dat mijn moeder liever hier bleef. Dus ging hij alleen."
Linde zei niets. Dit was weer een andere versie van het verhaal. En misschien was dit voor Robin nog het gemakkelijkst te accepteren.

Die zaterdagmorgen waren ze vroeg op. Linde wilde voorkomen dat ze hen moest laten wachten. Ze trok een donkere jeans aan met bijpassend jasje, een witte blouse en een opvallende riem. Haar haren bond ze bij elkaar. Uit ervaring wist ze dat dit niet lang goed bleef zitten.
Er sprongen al direct enkele krullen los. „Je haar leidt een eigen leven," zei de kapper soms.
Sofie had hetzelfde probleem gehad. Zou Jean Luc zien hoeveel ze op elkaar leken? Ach, wat maakte het uit. Misschien was zijn vriendin een van die vrouwen met lang blond haar. Echt of geverfd.
Robin was duidelijk opgewonden. Hij ging niet zo vaak ergens heen. Zo'n dierentuin was vast leuker voor hem dan een verblijf bij opa en oma in Frankrijk.
„Heb je er zin in?" vroeg ze.
Hij knikte. „Ik zou alleen willen dat zij er niet bij was."
„Waarom niet? Je kent haar niet eens."
„Wij met z'n drieën zou veel leuker zijn. Dat zou net echt lijken."
Ze ging er niet op in, hoewel ze heel goed begreep wat hij

bedoelde. Hij wilde bij een echt gezin horen. Ze moest deze gedachte wel snel de kop indrukken, anders ging hij zich nog illusies maken.
Toen er gebeld werd, liet ze Robin opendoen en zij liep achter hem aan. De zon wierp een brede baan licht in de gang en ze knipperde met haar ogen.
„Hallo, ik ben Fleur," klonk het vrolijk. Wij komen Robin halen."
„Linde gaat ook mee," zei Robin onmiddellijk. Toen de vrouw een stap opzij ging, kon Linde haar goed zien. Kort blond haar, blauwe ogen, kuiltjes in haar wangen. Kortom, een leuke jonge vrouw, hoewel geen schoonheid. Misschien was ze heel aardig en zag Robin over een poosje een leven met haar en zijn vader wel zitten. Linde dwong haar gedachten een andere richting uit.
„Ga jij ook mee?" vroeg de vrouw duidelijk verbaasd. „Ik weet niet of Jean Luc daar op rekent."
„Tenzij hij er nu als een speer vandoor gaat met jullie in de auto, kan hij mij niet tegenhouden," verklaarde Linde.
Jean Luc was inmiddels ook uitgestapt. „Ik had gedacht dat jij wel eens een vrije dag wilde," zei hij.
„Robin is voor mij geen last," antwoordde ze koel.
Hij haalde de schouders op en liet haar instappen. Fleur ging als vanzelfsprekend naast hem zitten.
De rit verliep zonder dat er veel werd gezegd. Althans niet tegen de personen op de achterbank. Fleur maakte af en toe een opmerking, legde soms een hand op Jean Lucs knie. Ze waren duidelijk vertrouwd met elkaar en Linde vocht tegen een gevoel van jaloezie. Zij had de dag met Jack kunnen doorbrengen. Misschien waren ze dan naar een tuincentrum gegaan. Of ze hadden de stad achter zich gelaten en waren de richting van Schouwen uit gereden. Het was prachtig voorjaarsweer en het seizoen was nog niet begonnen, het moest heerlijk zijn op de stranden.

Jack was vast wel akkoord gegaan als zij dat had voorgesteld. Hij was prettig gezelschap, al hield ze niet meer van hem. En hij zou haar niet genegeerd hebben zoals deze twee.
Het was half elf toen ze bij de dierentuin uitstapten. Het was nog rustig. Jean Luc kocht de kaartjes en ze liepen het terrein op.
„Vertel eens, welke dieren wil je het allerliefst zien?" vroeg Jean Luc aan zijn zoon.
„Giraffen en olifanten," antwoordde het kind prompt.
Jean Luc knikte. „Die zijn ook het meest indrukwekkend. Olifanten waren er al voor er mensen waren, wist je dat?"
„In de prehistorie," antwoordde het kind. Er verscheen even iets van verbazing op Jean Lucs gezicht en Linde bedacht dat hij totaal niet op de hoogte was van de kennis van een kind van acht jaar.
Even later stonden ze stil bij de kooi met hyena's De beesten liepen onrustig heen en weer.
„Ze willen er uit," zei Robin medelijdend.
„Ze zouden niet weten waar ze heen moesten als ze werden vrijgelaten," antwoordde Jean Luc.
Hij keek Linde aan. „Je moet me het een en ander over hem vertellen. Hoe het met hem gaat op school. Doet hij aan sport, heeft hij vriendjes?"
„Is het te veel moeite om dat zelf te ontdekken?" vroeg ze koel.
Hij fronste zijn wenkbrauwen. „Of jij het nu prettig vindt of niet, wij zullen elkaar nu vaker tegenkomen. En Robin is dan ons gespreksonderwerp, denk je niet? Ik wilde hem vanavond meenemen en tot morgen bij me houden. Vind je dat goed?"
„En als ik weiger?"
Ze waren blijven staan en hij greep haar bij de arm. „Waarom doe je zo moeilijk? Denk je dat ik hem ga

ontvoeren? Ik zie ook wel dat hij erg aan jou gehecht is."
„Vraag hem zelf maar wat hij ervan vindt," antwoordde ze.
„Oké, dan moet jij hem eerst inlichten."
Ze trok haar wenkbrauwen op. „Ben je niet bang dat ik hem negatief beïnvloed?"

„Je lijkt sprekend op Sofie," zei hij onverwacht.
„Laten we het niet over haar hebben."
Zijn blik gleed over haar heen. „Je ziet er heel leuk uit," zei hij waarderend.
„Ik heb geen enkele behoefte aan jouw goedkeuring," zei ze kribbig.
„Denk je niet dat Sofie het geweldig zou vinden dat wij hier nu samen met haar zoon zijn."
„Er is nog iemand bij, ben je dat vergeten? Zij vraagt zich nu vast af wat je mij steeds te vertellen hebt."
„Fleur kan heel goed voor zichzelf zorgen. En op deze manier kan zij Robin wat beter leren kennen."
Ze liep naar Robin die stilstond bij het verblijf van de leeuwen. Het vrouwtje lag languit in de zon, haar partner zat rechtop en leek zeer alert. Zijn indrukwekkende uiterlijk deed veel bezoekers stilstaan. Het was of hij daar zat om zich te laten bewonderen.
Plotseling hief hij zijn kop omhoog en stiet een enorm gebrul uit. De mensen deinsden automatisch wat achteruit, hoewel er geen enkele kans was dat het machtige dier bij hen in de buurt kon komen.
Robin greep haar hand. „Waarom doet hij dat? Wil hij dat we weggaan?" vroeg hij.
„Ik zou het niet weten," antwoordde Linde.
„Nou, ik zou ook niet willen dat er steeds mensen naar me keken," verklaarde Robin.
Linde lachte even. „Maar ze kijken naar hem omdat hij zo

mooi is." Langzaam liepen ze verder. „Waar zijn de anderen?" vroeg Robin.
Linde keek om zich heen. „Zeker een ander paadje in gegaan. We komen hen wel weer tegen."
„Je vindt hem niet aardig, hè?'
Linde gaf niet direct antwoord. Het zou niet al te moeilijk zijn Robin zo te beïnvloeden dat hij Jean Luc uit de weg ging. Maar dat zou niet fair zijn. Ze moest hen beiden een eerlijke kans geven, hoe moeilijk ze dat ook vond.
„Hij wil graag dat ik hem aardig vind en zij ook," zei het kind met opmerkelijk inzicht.
„Hij heeft gevraagd of jij een nachtje bij hem wil logeren," zei Linde nu.
„Ga jij dan ook mee?"
„Dat is niet de bedoeling."
„Ik weet niet of ik dat wel wil."
„Misschien moet je het gewoon eens proberen." Het kind antwoordde niet. Ze vroeg zich af wat hij zou beslissen. Ze wilde hem zeker niet dwingen. Toen zag ze Fleur op hen afkomen en bleef wachten.
„Wij zijn ieder een kant uit gegaan om jullie te zoeken," zei ze. „Het is kinderachtig om ons te ontlopen, vind je niet?"
Linde keek in de helblauwe ogen. Fleur was duidelijk boos.
„Ik ontliep jullie niet. We stonden bij de leeuwen en toen waren jullie ineens weg."
Fleur maakte een geluid waaruit bleek dat ze haar niet geloofde. Even later kwam Jean Luc ook aanlopen. Hij maakte geen opmerking over het feit dat ze elkaar uit het oog hadden verloren, maar stelde voor iets te gaan drinken. Toen ze even later in een van de restaurants een plaatsje hadden gevonden vroeg hij Robin wat hij zoal had gezien. Robin vertelde van het gebrul van de leeuw en toen Linde hen zo samen zag dacht ze opnieuw dat nie-

mand er aan twijfelen kon dat hij de vader is. Ineens wendde Jean Luc zich tot haar. „Waarom ging jij eigenlijk mee? Was dat om Robin zoveel mogelijk uit mijn buurt te houden?"
„Natuurlijk niet. Tenzij we elkaar bij de hand houden kun je elkaar gemakkelijk uit het oog verliezen. Ik wil niet dat Robin ons kwijtraakt, daarom houd ik hem in het oog."
Hij zei er niets meer over, vroeg Robin naar de school, informeerde of hij al gewend was. Robin gaf wat aarzelend antwoord, keek haar soms vragend aan, alsof hij haar om toestemming vroeg. Het moest de anderen wel duidelijk zijn dat hij heel erg op haar gericht was. Misschien was het niet verkeerd dat hij wat contact kreeg met zijn vader, dacht ze voor het eerst. Maar ze zou het gemakkelijker accepteren als Fleur er niet bij was. Niet dat ze onaardig was. Maar ze moest niet denken dat ze Robins moeder kon vervangen.
„Zou je vanavond met mij willen meegaan?" vroeg Jean Luc nu.
„Bedoel je ook slapen?" vroeg het kind.
„Ja. Een nachtje logeren. Dan breng ik je morgen weer terug, of Linde komt je halen."
„Ik weet het niet. Kan Linde ook bij jou slapen? Anders is zij alleen."
Fleur rolde met haar ogen. Linde begreep dat zij de reactie van het kind op zijn zachtst gezegd overdreven vond.
„Dat is echt niet erg," zei Linde nu.
„Vraag dan maar of Jack komt," zei Robin op bezorgde toon.
„Misschien doe ik dat wel."
„Zullen we eens verder kijken," stelde Jean Luc voor. Linde was blij dat hij over iets anders begon. Ze vond het wel een beetje gênant zoals Robin voor haar opkwam.

HOOFDSTUK 6

Later, toen ze rondliepen in Oceanië, ging ze even op een bank zitten om de onderwaterwereld op zich te laten inwerken. Jean Luc kwam naast haar zitten, terwijl Fleur met Robin nog naar enkele heel bijzondere vissen ging kijken.

„Je vindt dit moeilijk, hè?" Zijn toon was oprecht meelevend.

„Misschien zijn Robin en ik te veel samen," gaf ze toe. „Maar hoe kan ik dat veranderen? Ik zie wel in dat hij zich als een bezorgde vader gedraagt."

„Nou, dat is wat overdreven. Maar omdat hij zich voortdurend zorgen maakt om jou kan hij nauwelijks kind zijn. Hij is natuurlijk doodsbang dat hij jou verliest, evenals met zijn moeder is gebeurd. Zorgde Sofie goed voor hem?"

„Voorzover mogelijk," antwoordde ze kort. „Maar hij was alles voor haar. Het enige wat ze had."

„Er is erg veel druk op zijn schouders gelegd," constateerde hij.

„Maar nu ben jij gekomen om hem te bevrijden," zei ze cynisch. Hij wilde antwoorden, maar toen Fleur hun richting uitkwam zweeg hij.

„Waar is Robin?" vroeg Linde, had tegelijkertijd die woorden wel willen terughalen.

„Als je even voorover buigt zie je hem," antwoordde Fleur liefjes. „Hij weet waar we zijn." Ongemerkt schoof Linde een beetje opzij zodat ze het kind in het oog kon houden. Ze besefte nu dat dit een tweede gewoonte was geworden. Jack had zich hier ook vaak aan geërgerd. Het verdere van de dag probeerde ze echt om Robin in figuurlijke zin los te laten.

Ze merkte dat het kind van deze dag genoot en zich wat vrijer tegenover Jean Luc ging gedragen. Fleur negeerde

hij zoveel mogelijk en Linde vroeg zich af of ze zouden denken dat zij daar de hand in had.
Ze besloten de dag met een etentje in een gezellig restaurant. Toen Linde na afloop weer achterin de auto wilde stappen vroeg Jean Luc: „Kom jij deze keer voorin zitten?"
Linde keek naar Fleur die even de wenkbrauwen optrok maar zonder verder commentaar naast Robin op de achterbank ging zitten. „Ik breng jou eerst thuis. Je zult nog wel wat spullen willen meegeven voor Robin," veronderstelde Jean Luc.
„Ga je echt niet mee?" vroeg Robin benepen vanaf de achterbank.
„Je bent toch groot genoeg om ergens te logeren," reageerde Fleur. „Bovendien is Jean Luc je vader."
„Dat zegt hij," bromde Robin. „Wanneer kom jij me dan halen, Linde?"
„Hoor eens, als je echt niet wilt ga ik je niet dwingen," zei Jean Luc, nu duidelijk geïrriteerd. Dit was niet bepaald een sfeer om Robin op zijn gemak te stellen, dacht Linde.
„Hij gaat heus wel mee," zei ze. „Kom even mee naar binnen voor je spullen."
Even later liep hij met haar mee terwijl de andere twee in de auto bleven wachten. Eenmaal binnen zei Robin: „Ik wil toch liever hier blijven."
Linde zuchtte. „Je zult zien dat het leuk wordt, Robin. Jean Luc is echt je vader. Je wilde toch zo graag een vader. Hij gaat vast iets leuks met je doen. Je neemt Baloe zeker ook mee?" Ze deed zijn pyjama, een tandenborstel en wat schone kleren in zijn tas. De bruine beer die er uit zag of hij zo uit de voddenmand kwam legde ze bovenop.
„Dat vinden ze vast stom," zei Robin aarzelend.
„Welnee. Alle kinderen hebben knuffels en sommige grote mensen ook. Kom nou maar."
„Hoe laat kom je mij halen?" vroeg hij voor hij instapte.

Linde keek vragend naar Jean Luc.
„Zullen we dat aan Robin overlaten?" stelde hij voor. „Ik bel je wel."
Ze knikte alleen en gaf Robin een duwtje Het was natuurlijk belachelijk nu een gevoel te hebben of hij van haar werd losgescheurd. Maar het was een feit, de anderhalf jaar dat hij nu bij haar woonde was hij nooit een nacht van huis geweest. Ze zwaaide hem na en ging met een vreemd leeg gevoel het huis weer in. Zij was ook niet meer gewend om alleen te zijn. Nu kon ze rustig een film kijken of in dat nieuwe boek beginnen. Ze kon ook Jack bellen zoals Robin had voorgesteld. Maar na hun laatste gesprek leek dat haar niet verstandig.
Later zat ze voor de open haard met een kop thee en een paar petitfours waar Robin dol op was. Die haalde ze in het weekend vaak in huis. Ze voelde zich echt alleen en dat was bespottelijk. Ze gedroeg zich zielig en iedereen die beweerde dat ze teveel op het kind gericht was had helemaal gelijk. Hij was het middelpunt van haar bestaan. Ze had indertijd gemeend dat Jack zich onredelijk gedroeg, maar ze begon nu in te zien dat de meeste mannen er moeite mee zouden hebben als het kind van een ander op de eerste plaats kwam. Als ze nu bepaalde zaken met Jean Luc kon delen, moest dat wel enige verandering brengen. Ze dacht aan Jacks woorden: „Je bent meer van hem gecharmeerd dan je zelf weet." Vroeger was ze inderdaad verliefd op hem geweest. Maar dat was verleden tijd. Ze had hem gehaat om wat hij Sofie had aangedaan. En al was alles toch anders gegaan dan ze altijd had gedacht, het feit bleef hij had haar zus in de steek gelaten toen ze in de problemen zat.
Uiteindelijk raakte Linde toch verdiept in haar boek. Toen het tijd was om naar bed te gaan aarzelde ze echter of ze zou bellen en vragen of Robin kon slapen. Maar ze besloot

het niet te doen, ze zou zich belachelijk maken.
Toen ze de volgende morgen wakker werd sloeg de regen tegen de ramen. Haar eerste gedachte was wat Robin aan het doen zou zijn. Het was pas negen uur. Ze zou voorlopig niks horen, tenzij Robin zelf naar huis wilde. Nadat ze had ontbeten en gedoucht, zocht ze zorgvuldig haar kleren bij elkaar en maakte zich op. Dat deed ze eigenlijk zelden in het weekend en ze wilde er niet over nadenken waarom ze dat nu wel deed.
Het regende nog steeds. Als het goed weer was ging ze meestal met Robin naar buiten. In de zomer namen ze soms een picknickmand mee. Soms gingen ze naar een film of deden spelletjes. Ze had zich wel heel erg met hem beziggehouden, besefte ze voor de zoveelste keer. Ze had gewild dat het kind gelukkig was, maar misschien had ze het wel helemaal verkeerd aangepakt. Mogelijk was hij hopeloos verwend.
Roel van de buren was nog wel eens komen spelen, maar hij was zoveel ouder. En na wat er de laatste keer was gezegd wilde Robin niet meer dat hij nog kwam. Je moet hem weerbaarder maken, had Frances gezegd. O, verdraaid, zo langzamerhand kreeg ze het gevoel dat ze alles verkeerd had aangepakt.
De telefoon ging om kwart voor elf. Het was Robin.
„Linde, wil jij ook hierheen komen?" was zijn eerste vraag.
„Moet ik je komen halen?"
„Nu nog niet, maar het is hier leuker als jij er ook bent. Jean Luc vindt het goed."
„En Fleur, vindt die het ook goed?"
„O, die is er niet," klonk het achteloos. „Kom je?"
„Goed dan. Maar ik blijf niet lang."
Ze legde de telefoon neer. Waar was Fleur plotseling gebleven? Had ze nu al genoeg van het kind? In elk geval zou zij zich meer op haar gemak voelen zonder Jean Lucs

vriendin en dat gold waarschijnlijk ook voor Robin. Ze had de vorige dag steeds het gevoel gehad of ze door haar werd geobserveerd.
De flat was gemakkelijk te vinden, ze kende het reisbureau. Eigenlijk leek Jean Luc haar geen type om in een appartement te wonen. Maar misschien ging hij binnenkort wel weer een reis maken. Als directielid van het reisbureau moest hij toch weten waar hij zijn klanten naar toe stuurde. Terwijl ze haar auto parkeerde keek ze omhoog. Robin stond voor het raam en zwaaide. Voor ze had aangebeld ging de deur al open. Robin stond in de deuropening te wachten. Ze knuffelde hem even, kreeg een kleur toen Jean Luc zei: „En ik? Sla je mij over?"
„Goedemorgen," zei ze tamelijk stijfjes. Ze zag de vonkjes in zijn ogen. Lachte hij haar uit?
Hij ging haar voor naar binnen. De kamer was ruim en duur gemeubileerd. Maar echt sfeervol was het niet in haar ogen.
„Je kijkt een beetje afkeurend," zei Jean Luc. „De flat was al grotendeels gemeubileerd toen ik hier kwam. Ik woon hier maar tijdelijk."
„Heb je al iets anders op het oog?" vroeg ze.
„Nee. Maar ik weet wel wat ik wil en niet wil. Dat wordt nog een puzzel. Ga zitten, Linde. Wil je koffie?"
„Graag."
„Kijk eens." Robin verscheen boven de rugleuning van de bank. Ze stond op. Op de vloer lag een elektrische trein met veel accessoires. „Die heb ik gekregen. Er kan nog veel meer bij maar dat krijg ik een andere keer."
Ze keerde zich naar Jean Luc die er een beetje verlegen bij stond. „Wie had het over verwennen?" vroeg ze.
„Kom nou, Linde. Het is het eerste wat hij in zeven jaar van mij krijgt."
Linde zei niets meer. Ze bewonderde de trein uitvoerig. Hij had natuurlijk gelijk. Misschien was dit wel de manier

om het kind aan zich te binden. Iedere week weer iets nieuws bij de trein. Hoeveel weken kon hij doorgaan tot alles compleet was? Volgens haar kon zoiets eindeloos worden uitgebreid.
Even later zette Jean Luc de koffie voor haar neer. Een schaal petitfours volgde. „Ik heb gezegd wat ik graag lustte," verklaarde Robin.
„Wil je hem kopen?" vroeg ze toen het kind weer met de trein bezig was.
„Nee, ik wil een en ander inhalen."
„Je voelt je schuldig. Deze zeven jaar kun je nooit meer goed maken, Jean Luc." Ze wist dat het hard klonk, maar ze kon niet anders.
„Dat hoef je mij niet te vertellen. Maar of je het gelooft of niet, ik wist niet dat hij mijn zoon was. Sofie verklaarde dan dit en dan weer wat anders. Ik was veel weg en zoals ik al zei, er zijn zeker anderen geweest."
Ze zweeg, nam een slokje van haar koffie. Ze wilde al die negatieve dingen over Sofie niet horen. En zeker niet waar Robin bij was.
„Waar is je vriendin?" vroeg ze.
„Fleur had vandaag iets anders te doen. We laten elkaar vrij."
„O ja? En hoe ver gaat dat?"
„Niet zo ver als Sofie dacht dat ze mocht gaan."
„Moet je het echt steeds over haar hebben?" Ze verhief haar stem en Robins hoofd verscheen boven de bank.
„Geen ruzie maken hoor, dat deed Fleur ook al."
„Ik maak geen ruzie," zei Linde.
Jean Luc ging er verder niet op in. Even later vertelde hij dat Robin prima had geslapen. Hij was één keer wakker geworden en had toen naar Linde gevraagd.
„En toen heb ik hem beloofd dat ik je vanmorgen zou bellen."

„En Fleur vond het niet goed," klonk het van achter de bank. Jean Luc hief in een machteloos gebaar zijn handen en Linde lachte. „Je weet nog niet half wat je te wachten staat als je hem vaker zult zien." Ze besefte tegelijk dat ze hiermee toestemming gaf dat Robin hier vaker zou komen.
„We moeten goede afspraken maken," zei Jean Luc die blijkbaar begreep wat ze dacht.
„Je zult problemen krijgen met Fleur," zei ze.
„Dat los ik wel op."
„Maar niet over het hoofd van Robin heen."
„Jij denkt echt dat ik een volkomen onbenul ben waar het kinderen betreft, is het niet?"
„Eigenlijk wel," zei ze eerlijk. Tot haar opluchting begon hij te grinniken. „Je zegt nog steeds wat je denkt. Dat deed je vroeger ook al. Je liet duidelijk merken dat je mij niet mocht en dat je het er niet mee eens was dat Sofie en ik gingen samenwonen. Waarom eigenlijk?"
„Sofie was veel te jong en veel te verliefd. Terwijl jij... het streelde je ijdelheid dat zij zo als een klit aan je hing. Totdat het je ging vervelen."
„Je wilt het ware verhaal niet geloven, is het wel? Maar je hebt Sofie nooit echt gekend. Zoals zoveel verslaafden vertelde ze de ene leugen na de andere, ook aan jou. In die tijd heb ik al overwogen met haar te breken. Jij was er ook en jij was verliefd op me."
„Wat ben je toch een zelfgenoegzame kwast."
„Je kon het niet verbergen, Linde. Ik wist toen al dat wij beter bij elkaar pasten. Maar hoe konden we dit Sofie aandoen? Weet je niet meer..."
„Het spijt me. Mijn geheugen laat mij wat dat aangaat volledig in de steek. Robin, we gaan naar huis."
Hij kwam direct achter de bank vandaan. „Mag de trein hier blijven liggen tot ik weer kom?" vroeg hij onbevangen.

„Natuurlijk. Ik zal er goed op passen. Nu hebben we nog geen afspraken gemaakt, Linde.”
„Dat komt wel een keer,” zei ze onwillig.
Robin nam afscheid van Jean Luc met een plechtige handdruk en een „bedankt voor het spelen”. Zijn vader maakte zelf ook geen aanstalten het kind te knuffelen.
„Wij zien elkaar nog,” zei hij kortaf tegen Linde.
Robin was stil in de auto, maar Linde wist dat er heel wat in dat hoofdje omging.
„Hij is echt mijn vader,” was het eerste wat hij liet horen toen ze thuis waren. „En hij is aardig.” Het klonk een beetje uitdagend.
„Gelukkig maar.”
„Maar jij vindt van niet. Ik wil dat jij hem ook aardig vindt.”
„Je kunt mensen niet dwingen elkaar aardig te vinden.”
„Als hij ook hier zou wonen...” begon Robin.
Ze ging naast hem zitten. „Het is heel fijn voor je dat je vader is teruggekomen. Hij gaat trouwen met Fleur en jij mag daar af en toe logeren. En ik denk dat hij je ook wel eens van school komt halen. Of van atletiek. Maar verder woon je bij mij.”
„Het is niet echt,” zei Robin koppig. „En hij gaat vast niet met Fleur trouwen. Hij was boos omdat ze niet wilde dat ik nog bleef en dat jij kwam.”
„Boosheid gaat weer over.”
„Nou ik denk dat ze voorgoed weggaat omdat ik er nu ben,” zei hij op een tevreden toontje.
„Zover zal Jean Luc het heus niet laten komen,” zei ze kalm.
„Wanneer ga ik weer naar hem toe?” vroeg hij.
„Daar hebben we het nog niet over gehad. Ga jij nu maar weer spelen, dan maak ik iets te eten.”
Terwijl ze in de keuken tosti's klaarmaakte dacht ze over

dit gesprekje na. Ze zou blij moeten zijn dat Robin het blijkbaar goed met zijn vader kon vinden. Maar dat was ze niet. Ze was nu al bang dat hij op den duur liever bij zijn vader zou zijn dan bij haar.
Het bleef die middag regenen en na enkele spelletjes zette ze een dvd voor Robin op.
Tegen de avond belde haar moeder.
„Ik heb al een tijdje niets van je gehoord," begon Ine. „Ben je alweer op orde na de verhuizing?"
„Dat ging tamelijk snel. Het was hier nog gedeeltelijk ingericht, zoals je weet. Jack heeft ook wat spullen gehouden, dus ik hoefde niet zo veel over te brengen."
„Het is dus definitief over tussen jullie."
„Ja." Ze aarzelde of ze zou vertellen over Jean Lucs terugkeer, zei dan: „Er is hier inmiddels het een en ander gebeurd."
„O ja? Heb je een nieuwe vriend?"
„Mam, zo snel gaat dat niet. Bovendien woon ik nu op een dorp. Trouwens, uitgaan is toch niet mogelijk in verband met Robin. Hoewel de buurvrouw best wil oppassen."
„Je moet ook aan jezelf denken. Je bent bijna dertig. Nog jong natuurlijk, maar toch, veel vrouwen van jouw leeftijd zijn al getrouwd en hebben kinderen."
„Of in elk geval een vaste relatie," gaf Linde toe. „En dat geldt ook voor mannen. Daarom zijn er niet veel mogelijkheden. Belde je mij hierover, mam?"
„Welnee. Ik belde uit belangstelling. Je zei dat er iets gebeurd is."
Linde, die juist had besloten toch maar niets te zeggen, zuchtte. Natuurlijk was haar moeder dat niet vergeten. „Jean Luc is teruggekomen," zei ze toen plompverloren.
„Jean Luc? Je bedoelt Robins vader?"
„Wie zou ik anders bedoelen?"
„Ik kan het niet geloven. Heb je hem ontmoet? Heeft hij

Robin gezien? Weet hij van Sofie, dat ze er niet meer is? Geef eens antwoord."
„Daar krijg ik niet eens de tijd voor."
„Het is nogal een schok, moet ik zeggen. Wil hij voor Robin betalen of voor hem zorgen misschien?"
„Nou, mam. Hij is er net achter dat hij een zoon heeft. Hij dacht blijkbaar dat Robin niet van hem was."
Er viel een stilte en Linde verstoorde die niet.
„Maar waarom?" begon haar moeder. „Ach ja, Sofie, er was wel eens een ander. Tijdelijk, maar toch. Je weet hoe ze was. Rusteloos. Ze vond het leven al snel saai."
„Maar ze zei altijd dat ze zoveel van Jean Luc hield," protesteerde Linde, die het beeld dat ze van haar zusje had gehad steeds verder zag afbrokkelen.
„Dat deed ze ook. Dat andere stelde niet veel voor. Afleiding. Maar zo zag Jean Luc het niet, vrees ik. Je zou eens met hem moeten praten," zei haar moeder.
Dat is al gebeurd, dacht Linde. Maar ze ging haar moeder niet vertellen dat Jean Luc vertrokken was vanwege Sofies ontrouw. En zeker niet dat ze uiteindelijk was overleden aan aids. Ze hadden wel genoeg verdriet gehad om hun jongste dochter.
„Misschien is het wel goed dat hij terug is," zei Ine nu. „Heeft hij Robin al ontmoet?"
„Robin is gisteren bij hem blijven logeren. Jean Luc wil hem regelmatig bij zich hebben. Maar hij heeft een vriendin."
„En dat vind jij moeilijk," veronderstelde Ine. „Ik geloof niet dat hij Robin van jou weg wil halen. Zo is hij niet, volgens mij."
„Je hebt hem jaren niet gezien, moeder. Hij zal overigens de kans niet krijgen Robin van mij weg te halen. Ik heb Sofie beloofd voor haar zoon te zorgen."
„Dat weet ik. En je doet het goed, Linde. Maar een beetje

steun van iemand die er ook bij betrokken is zou misschien toch welkom zijn. Laat alsjeblieft horen hoe deze zaak zich ontwikkelt."
„Dat zal ik doen," beloofde Linde.
Dus haar ouders hadden geweten dat Sofie het niet zo nauw nam met trouw aan haar partner. Dat verbaasde haar. Had Jean Luc tegenover hen wel open kaart gespeeld? Van de kant van haar ouders had ze indertijd weinig gemerkt van boosheid of verontwaardiging toen Jean Luc was verdwenen. Sofie was toch in de steek gelaten. Hadden zij zoveel meer geweten dan zijzelf, of was zij zo naïef geweest?
Er ging een week voorbij, waarin Robin elke dag vroeg of zijn vader had gebeld.
„Bel hem zelf maar," zei ze toen ze merkte dat het hem dwars zat dat hij niets hoorde. Maar Robin schudde het hoofd. „Misschien wil hij me niet."
„Nou, ik denk niet dat het dat is. Maar hij werkt natuurlijk de hele week."
Zaterdag tegen de avond belde hij. „Kunnen we elkaar ontmoeten?" vroeg hij. „Zonder Robin? Fleur wil wel oppassen als wij bijvoorbeeld ergens gaan eten."
„Dat lijkt me niet zo'n goed idee," antwoordde Linde. Ze dacht dat het weer echt iets voor een man was om zoiets te bedenken.
„Je kunt hierheen komen. Om half negen slaapt hij wel," stelde ze voor.
Hij stemde toe en was stipt op tijd. „Je hebt Fleur niet meegebracht?" vroeg ze, hoewel ze dat zeker niet prettig had gevonden.
„Had je dat gewild?"
Ze antwoordde niet, liep regelrecht door naar het woonvertrek. Hij volgde haar, bleef staan en keek rond.
„Er is hier niet veel veranderd. Het is altijd een sfeervol

huis geweest. Je boft dat je hier mag wonen."
„Mijn ouders blijven voorlopig in Frankrijk. Dit was de beste oplossing."
„Dat is het natuurlijk ook. Ik wilde dat ik zo'n huis had. En de tuin niet te vergeten."
„Je hebt een goede baan," zei ze schouderophalend.
„Wil je daarmee zeggen dat ik een dergelijk huis wel kan kopen?"
„Het gaat mij niet aan," antwoordde ze kortaf. „Wil je koffie?"
„Graag." Hij liep met haar mee naar de keuken. Deze was niet erg groot en ze moest steeds langs hem heen.
„Sta ik in de weg?" vroeg hij.
„Ja, nogal."
„Je bent buitengewoon onvriendelijk, Linde. En we krijgen met elkaar te maken of je dat nu prettig vindt of niet. We hebben een gemeenschappelijk belang."
Ze antwoordde niet, liep even later terug naar de kamer zonder te kijken of hij wel volgde.
Jean Luc ging tegenover haar zitten. „Kunnen we misschien normaal met elkaar omgaan? We zouden vrienden kunnen zijn. We hebben een aantal jaren met elkaar opgetrokken. Ik heb zelfs nog klusjes gedaan in je flat."
„Dat is lang geleden," zei Linde die dat absoluut wilde vergeten. Het was immers in die dagen dat ze gemerkt had dat ze verliefd was op de vriend van haar zusje. Ze zag aan zijn gezicht dat hij zich alles nog precies herinnerde. Gelukkig ging hij er niet verder op door, maar zei in plaats daarvan: „We hielden allebei van Sofie. En nu gaat het om Robin. Ik wil hem graag om het weekend bij me hebben."
„En als ik daar geen toestemming voor geef?"
„Dan zou ik een advocaat kunnen inschakelen. Maar waarom zullen we het zo op de spits drijven?"
„Je hebt geen schijn van kans, dat weet je heel goed." Ze

merkte dat haar handen trilden en ze zette snel haar kopje neer.
„Als Robin twaalf jaar is, mag hij zelf kiezen waar hij wil wonen," zei hij.
„Gaan we een strijd om hem beginnen?" vroeg ze bitter.
„Dat is zeker niet mijn bedoeling. Ik kwam hier om te vragen of wij een afspraak kunnen maken. En om jou te vragen hoe je dat indertijd met Jack hebt opgelost. Ik bedoel: jullie woonden al samen toen Robin kwam. Was hij het daar direct mee eens?"
„Hij is het er nooit mee eens geweest," zei ze kalm.
„Is dat de reden dat het mis ging tussen jullie?" vroeg hij verbaasd.
„Voor een deel. Maar het kon alleen maar misgaan, omdat ik Robin belangrijker vond dan Jack. Hij en ik hebben weinig gemeen. Zelfs te weinig om gewoon vrienden te zijn."
„Ik vrees dat mij hetzelfde met Fleur gaat overkomen. Ze wil Robin graag accepteren, maar ik voel dat ze het om mij doet."
„Het is waarschijnlijk ook moeilijk," zei ze peinzend.
„Fleur wil graag zelf kinderen."
„Het een hoeft het ander niet uit te sluiten," meende ze.
„Ik wil daar nog mee wachten. Voor Robin is dat teveel om te verwerken. Eerst een vader en dan ook nog een halfbroertje of -zusje."
„Als dat een breekpunt is, dan laat je Robin gewoon bij mij," zei ze koeltjes.
Hij fronste zijn wenkbrauwen, roerde langdurig in zijn koffie. Eindelijk zei hij: „Je weet dat dat mijn uitgangspunt niet was. Op deze manier komen we geen stap verder. Kun je niet gewoon meewerken, in plaats van wraak te nemen omdat ik weggegaan ben bij Sofie?"
„Jij hebt haar niet meegemaakt. Al die pijn en benauwdheid en dan nog het verdriet om jou. En de zorg om Robin."

„Mensen die met hiv besmet zijn hoeven niet binnen enkele jaren te overlijden. Hoe kon ik weten...”
„Laten we er over ophouden,” verzocht ze. „Mijn moeder ziet het in elk geval positief dat je terug bent.”
„Je ouders wisten meer over Sofies ontrouw en drugsgebruik dan jij.”
Linde zei niets. Waarom hadden ze haar nooit iets verteld? Waren ze bang geweest dat zij Sofie ook in de steek zou laten? Dat zou nooit gebeurd zijn. Als ze alles eerder had geweten, had ze wellicht anders tegenover Jean Luc gestaan. Ze kon nu moeilijk over haar verontwaardiging heen stappen.
Opeens kierde de deur open en stapte Robin binnen. Hij keek van de een naar de ander.
„Maken jullie ruzie?” was zijn eerste vraag.
„Natuurlijk niet,” antwoordden ze tegelijkertijd.
Hij kroop naast Linde op de bank. „Waarom ben jij hier?” vroeg hij Jean Luc.
„Ik wilde met Linde praten,” zei zijn vader, duidelijk geïrriteerd.
„Over mij,” concludeerde Robin.
„Niet alles gaat over jou.”
„Is Fleur niet teruggekomen?” was zijn volgende vraag.
„Fleur moest ergens naartoe. Zij woont niet bij mij.”
„Gaat ze wel bij jou wonen?” ondervroeg Robin hem verder.
„Robin, hou eens op,” verzocht Linde. „Ga weer terug naar je bed.”
„Ik heb een plan,” zei Robin zonder op haar woorden te reageren. „Waarom komt Jean Luc niet hier wonen? Dit is een veel mooier huis dan waar hij nu woont.”
„Zou je dat werkelijk willen?” ging Jean Luc er tot Lindes ergernis serieus op in.
„Nou, als jij mijn vader bent en Linde is bijna mijn moeder,

dan zouden we gewoon een familie zijn."
„Je hebt het mooi voor elkaar," grinnikte zijn vader. „Maar voorlopig zit dat er niet in. Volgend weekend mag je weer bij mij komen."
„Als ik kan," antwoordde het kind.
„Moet je eerst je agenda raadplegen?"
Robin haalde de schouders op. „Ik weet niet of Linde het goedvindt. Ik wil haar niet steeds alleen laten."
„Je gaat nu naar bed," zei Linde die het ineens zat was. Op een bepaalde manier voelde ze zich in een hoek gedreven.
„Mag ik hem terug brengen?" vroeg Jean Luc.
„Ja, jullie samen," riep Robin onmiddellijk.
„Vandaag zal Jean Luc je naar bed brengen," zei Linde beslist. Ze moest er niet aan denken dat ze daar als een ouderpaar bij Robins bed zouden staan. Als zij al kans zag Jean Luc zoveel mogelijk buiten haar leven te houden, Robin wilde dat nu al niet meer. Hij was een soort schakel tussen hen beiden. Robin zag al een toekomst voor zich waarbij hij ouders zou hebben. Fleur telde voor hem totaal niet. Ze zou hem toch eens wat duidelijk moeten maken.
„Ik zal hem nog eens goed zeggen dat hij zich niets in zijn hoofd moet halen," zei ze toen Jean Luc terug kwam.
„Waarom zou je? Laat hem zijn dromen. En wie weet... Ik ga er nu vandoor. Volgend weekend kan ik hem vrijdag uit school halen. Dan kan hij tot zondag blijven."
„Als hij dat wil. Trouwens, je moet ook rekening houden met Fleur."
„Dat regel ik wel," zei hij rustig. Toch voelde ze zich op haar plaats gezet. Zij had niets met zijn leven te maken, dat liet hij duidelijk blijken.
Later in bed overdacht ze het gesprek nog eens. Ze kon beter wat soepeler reageren, anders kwamen ze steeds in dezelfde discussie terecht.

HOOFDSTUK 7

De volgende dag, zondag, waren Robin en zij weer samen. Het kon verbeelding zijn, maar ze had het gevoel dat Robin rusteloos was. Het leek of hij zich sneller verveelde dan anders.
Vorig jaar was ze met Robin en Jack in een vakantiehuisje geweest tijdens de voorjaarvakantie. Robin had zich toen prima vermaakt, hoewel de meeste kinderen daar niet alleen waren. Het scheelde dat Jack eindeloos bezig kon blijven in het zwembad. Het had hem daar geen moeite gekost wat gemakkelijker met Robin om te gaan.
Als ze dit nu weer wilde regelen zou Robin misschien vragen of Jean Luc meeging. En dat zag ze echt niet zitten.
Wat later op de dag zei Robin: „Volgend weekend ben ik dus weer bij mijn vader."
Dat 'mijn vader' zei hij met een speciale klank in zijn stem.
„Hoe vindt Jean Luc het als je hem vader noemt?" vroeg Linde.
„Ik noem hem niet zo. Alleen als ik óver hem praat. Ik noem hem ook geen papa."
„Misschien zou hij dat wel willen," aarzelde Linde.
„Hij heeft het niet gevraagd. Kom jij volgend weekend ook?"
„Nee, Robin. Ik woon niet bij Jean Luc en hij niet bij mij. Dat gaat ook niet gebeuren. Hij gaat met Fleur trouwen."
„Dat zou wel stom zijn. Jij bent veel leuker."
Linde glimlachte even. „Zullen we een film kijken?" vroeg ze om hem af te leiden. Het was een feit, sinds Jean Luc terug was verliepen haar weekends ook anders. Ze was meer gespannen, rustelozer. Haar leven was toch wel erg beperkt, zo alleen met een kind van acht jaar.

Zijzelf haalde hem vrijdags uit school. Ze had zijn weekendtas al meegenomen.
„Zit Baloe er ook in?" vroeg Robin.
„Natuurlijk."
„Doe dat maar niet. Neem hem maar mee terug."
Linde zocht in de tas en gaf hem de beer. Het ontging haar niet dat het kind de beer even stijf vasthield. Ze pakte hem over en vroeg: „Waarom wil je hem niet? Ben je ineens te groot voor hem?"
„Fleur vond hem vies. Ze wilde hem wassen."
„Nou, weet je wat, ik zal hem wassen. Ik zal heel voorzichtig doen. Ik zal goed op Baloe passen en dan is hij weer helemaal keurig als je terugkomt."
„Goed dan," gaf hij toe.
Ze liepen het schoolplein af. Buiten het hek wachtte Jean Luc bij de auto. Hij drukte Robin even tegen zich aan, maar liet hem ook snel weer los. Hij keek naar de beer in Lindes hand.
„Ze mag hem hebben omdat ze anders zo alleen is," zei Robin snel. Hij was wel zo voorzichtig geen kwaad woord over Fleur te zeggen.
„Dat is lief van je," zei Jean Luc vriendelijk. „Zal ik je thuis afzetten, Linde?"
Ze schudde het hoofd. „Ik ben op de fiets."
„Oké. Ik zal zien of ik hem zondag terugbreng of dat hij misschien wil dat jij hem komt halen. Ik bel je nog."
Ze knikte, nam met een stevige knuffel afscheid van Robin en fietste naar huis. Het zou natuurlijk heel normaal zijn als ze Jean Luc op de wang kuste. Men deed tegenwoordig niet anders, soms bij volslagen vreemden. Maar ze zou dat niet op een ongedwongen manier kunnen doen.
Eenmaal thuis viel de stilte als een soort deken op haar. Even keek ze wat hulpeloos om zich heen, toen zei ze tegen zichzelf dat ze zich niet moest aanstellen. Ze was

gewoon verwend. Massa's meisjes en vrouwen woonden alleen. Zij was in haar leven nauwelijks alleen geweest. Jack was er al voor ze het huis uitging. Al snel was er de voortdurende zorg om Sofie. Daarna was Robin er...
Ze zou eerst de beer maar eens gaan wassen. Dat moest met beleid gebeuren. Hoe haalde dat mens het in haar hoofd om Baloe vies te noemen! Ze had natuurlijk gelijk, maar hiermee had ze Robin diep beledigd. Ze kon duidelijk niet met kinderen omgaan. Robin vertrouwde haar niet meer met zijn knuffel, dat was wel duidelijk. En als ze niet oppaste zou hij haar uit de weg gaan. Niet dat het haar, Linde, iets kon schelen.

Robin zat intussen braaf op de bank in Jean Lucs appartement. Zijn vader probeerde een gesprek aan te knopen, maar dat ging uiterst moeizaam.
„Zullen we een spelletje doen tot Fleur komt? Of wil je tv kijken," vroeg Jean Luc tenslotte.
„Waarom komt Fleur?" vroeg Robin.
„Ze is mijn vriendin," antwoordde Jean Luc geduldig.
„Maar niet die van mij," zei Robin op een volwassen toontje.
„Ik heb liever dat Linde hier is."
„Dat weet ik heus wel." Jean Luc probeerde zijn geduld niet te verliezen. „Linde zou dat zelf niet eens willen."
„Zal ik het haar vragen?" vroeg het kind hoopvol.
Jean Luc slaakte een zucht. „Zullen we afspreken dat we het daar voorlopig niet meer over hebben?"
Robin zweeg en Jean Luc vroeg zich af of het kind nu het besluit nam om maar helemaal niets meer te zeggen. Hij kende zijn zoon nog steeds niet echt. Wat dat aanging zou hij veel meer met Linde moeten praten. Het zou een stuk eenvoudiger zijn als ze in de buurt was, zodat hij haar dingen kon vragen. Maar Linde was koppig en kennelijk niet

van plan haar negatieve gevoelens jegens hem op te geven. En hij wilde haar niet tot in detail vertellen hoe moeilijk zijn leven met Sofie was geweest.
Tot Fleur kwam, zat Robin voor de televisie. Hij had niets anders meer gezegd dan ja en nee. Jean Luc besloot hem voorlopig met rust te laten.
Toen Fleur binnenkwam en hem met een uitvoerige omhelzing begroette, voelde Jean Luc de blik van het kind op zich rusten. Hij voelde zich ongemakkelijk en mompelde: „Ik wilde dat je dat niet deed waar het kind bij is."
„Lieve help, Jean Luc, ontspan je! Hij zal daar aan moeten wennen."
Ze ging naar Robin toe. „Dus jij bent er ook weer." Hij keek haar aan, maar gaf geen antwoord op deze overbodige vraag. Fleur haalde de schouders op en ging zitten. Jean Luc schonk voor hen beiden een glas wijn in. Robin kreeg limonade met chips.
Hij dronk de limonade op maar liet de chips staan.
„Lust je die niet?" vroeg Fleur.
„Linde vindt het niet goed als ik snoep voor het eten," zei hij braaf, daarbij vergetend dat deze regel vaak werd overtreden.
„Dat wordt weer een gezellig weekend," zei Fleur.
„Je hoeft niet te blijven," reageerde Jean Luc.
„O nee, ik laat me niet wegsturen. Ik zal voor jullie koken. Wat lust jij graag, Robin?" vroeg ze in een poging het ijs wat te breken.
„Maakt niet uit. Het is toch niet lekker."
„Robin, ik vind dat je erg onaardig bent," zei Jean Luc nu streng. Fleur ging naar de keuken. Ze had pannenkoeken willen bakken, maar liet dat idee nu varen. Als Robin toch niet van plan was iets lekker te vinden kon ze beter een van haar favoriete pasta's maken. Soep, ze zou soep kunnen maken, misschien lustte hij dat wel. Het ergerde haar

dat ze toch wilde proberen bij Robin in een goed blaadje te komen. Maar ze wilde Jean Luc niet kwijt en ze voelde dat het kind erg belangrijk voor hem was. Robin had zijn leven grondig in de war geschopt en het hare ook. Zoals het kind zich gedroeg was het voor haar onmogelijk goede maatjes met hem te worden, laat staan van hem te houden.
Toen Jean Luc de keuken inkwam zei ze: „Als het kind liever naar huis wil, waarom laat je hem dan niet gaan?"
„Begrijp je dat niet? Hij is mijn zoon en misschien wel de enige die ik ooit krijg."
„Aan mij zal het niet liggen," reageerde Fleur scherp.
„Voor ons is dat nog veel te vroeg. Daarvoor is de band niet sterk genoeg."
Ze bleef hem aankijken. „Je doet er ook geen moeite voor, wel, om die band wat sterker te krijgen."
„Ik heb nu andere dingen aan mijn hoofd."
„Heb je daar bij Sofie niet aan gedacht, dat het te vroeg was om een kind te krijgen?"
„Laten we het niet over Sofie hebben."
Hij dacht er aan hoe Sofie hem volkomen verrast had met haar zwangerschap, hoe ze zonder overleg met de pil was gestopt. En hoe ze hem later, tijdens een van hun vele ruzies, had toegevoegd dat Robin niet van hem was. Ze had dit enige tijd daarna weer ingetrokken, maar toen kon hij haar niet meer vertrouwen. Nu wist hij het zeker: Robin was zijn zoon. Niemand die hen samen zag kon daar aan twijfelen. Maar het was nu eenmaal een feit, vader werd je niet alleen door een kind te verwekken, maar vooral door er te zijn. En hij was er nooit geweest voor Robin. Daarom kon hij het kind niet verwijten dat hij trouw bleef aan Linde.
Natuurlijk lustte Robin de pasta niet en van de soep nam hij maar een paar lepels. Daarna schoof hij het bord van zich af.

„Weet je wel dat jij je bijzonder onbeleefd gedraagt? Linde heeft je niet goed opgevoed," zei Fleur scherp.
„Jij weet niets van Linde," antwoordde het kind fel. „Zij leert mij alles."
„Een ideaal persoon dus. Maar ze is toch je moeder niet, al zou je dat misschien graag willen."
Jean Lucs waarschuwing: „Fleur", kwam tegelijk met het glas water dat Robin recht in Fleurs gezicht gooide. Ze gaf een schreeuw van schrik en voor ze had nagedacht had Robin al een klap in zijn gezicht te pakken. De tranen schoten Robin in de ogen, meer om de belediging dan omdat het zo'n pijn deed.
„Ophouden jullie," zei Jean Luc streng. „Robin, ga maar even naar je kamer. Ik kom zo bij je."
Robin stond op en Jean Luc voelde medelijden toen hij de terneergeslagen houding zag. Het liefst had hij het kind in zijn armen genomen. Maar dat zou Robin niet toelaten. En zijn gedrag was natuurlijk niet te tolereren.
Robin verdween uit de kamer. Fleur was nog steeds demonstratief bezig haar gezicht droogdeppen met haar servet. „Zo is het wel goed. Je gedraagt je of je bijna bent verdronken," zei Jean Luc geïrriteerd.
„Dat kind is totaal niet opgevoed," zei Fleur voor de tweede keer. „En hij heeft zo'n hartgrondige hekel aan mij dat het bijna gevaarlijk voor me wordt."
„Overdrijf toch niet zo. Robin weet met de nieuwe situatie geen raad. Als jij iets van kinderen begreep..."
„O, en jij bent de expert. En dat alleen omdat je een zoon blijkt te hebben. Als het tenminste de waarheid is. Je hebt me over Sofie wel genoeg verteld om daaraan te twijfelen."
Jean Luc had nu spijt dat hij Fleur wel eens iets over zijn verleden had verteld. Uit enkele opmerkingen had ze haar conclusies al getrokken.

Robin was in de gang blijven staan en kon de woordenwisseling dus volgen. Fleur geloofde niet dat Jean Luc zijn vader was. Eerlijk gezegd geloofde hij het zelf ook niet meer. Maar waarom wilde hij hem dan het weekend bij zich hebben? Het was immers helemaal niet leuk als die Fleur er was. En zij zou niet weggaan, zoals Jack had gedaan, dat had hij al wel begrepen. Met Jack was het nog niet zo erg geweest, bedacht hij nu. Maar dit was gewoon een gemeen mens. Hij zou weggaan, besloot hij. Als hij toch niet Jean Lucs zoon was, wat maakte het dan uit? Hij greep zijn jas van de kapstok en opende zachtjes de deur. Hij rende de trappen af met zijn schoenen in de hand. Eenmaal buiten trok hij ze aan. Gelukkig was de sluiting met klittenband, dus het kostte niet veel tijd. Daarna begon hij de straat uit te lopen. En nog een straat. Hij bleef doorlopen tot hij bij een klein park kwam. Het was inmiddels gaan regenen en hij keek rond of hij ergens kon schuilen. Maar de bomen hadden nog niet zo'n dicht bladerdak dat ze al beschutting gaven. Hij zag wel een klein theehuis, maar zonder geld kwam je daar niet binnen, zoveel wist hij wel. Aan de achterkant van het gebouw was een opslagruimte waarvan de deur op een kier stond. Er stonden wat fietsen en er lag verpakkingsmateriaal. Hij kroop achter een paar dozen, stapelde er enkele om zich heen. Ze zouden hem niet zomaar kunnen vinden, dacht hij. En direct er achteraan: Wat nu?
Hij wilde niet terug en hij wilde ook niet naar Linde. Het was bij haar ook niet meer zoals vroeger. Ze zou misschien wel blij zijn als hij haar vertelde dat hij niet meer naar Jean Luc terug ging, de man van wie hij had gedacht dat hij echt zijn vader was. Jean Luc zou het niet leuk vinden dat hij was weggelopen. Hij wilde zo graag dat hij het naar zijn zin had bij hem, dat had Robin heus wel gemerkt. Langzaam liep er een traan over zijn wang en het bleef

niet bij die ene. Snikkend en huiverend zat hij als een hoopje ellende tussen de dozen.

„Wil je dat ik vertrek?" vroeg Fleur.
Hij keek haar aan. „Nee, het is niet goed als hij zijn zin krijgt. Ik zal met hem praten. Maar jij kunt wel een beetje meer begrip tonen."
„Niet als hij zich zo gedraagt."
„Daar hebben we het al over gehad. Ik heb hem weggestuurd. Nu ga ik hem halen."
Fleur begon zwijgend de tafel af te ruimen. Hij mocht dan wel beweren dat hij niet wilde dat ze wegging, maar ze wist zeker dat hij haar niet zou tegenhouden als ze dat wél deed. Ze hoorde Jean Luc nu in de gang waar alle deuren op uit kwamen. Toen opende hij de deur naar het trappenhuis. Nam hij Robin mee naar buiten? Misschien bracht hij hem toch terug naar Linde, dacht ze hoopvol.

Maar toen hij binnenkwam en ze zijn gezicht zag, wist ze dat er iets grondig mis was. „Hij is er vandoor," zei hij hees.
„Terug naar Linde, zeker," meende Fleur te weten.
„Hij weet de weg niet. Dit is Rotterdam."
„Hij kan een bus nemen."
„Hij gaat nooit met de bus. Hij weet niet welke lijn hij moet nemen. Bovendien heeft hij geen geld. We moeten hem gaan zoeken."
Fleur keek met opgetrokken wenkbrauwen naar buiten. „Het regent."
„Nou en? Wilde je wachten tot het zomer is?"
„Je hoeft mij niet af te snauwen."
„Het is jouw schuld." Jean Luc wist dat hij nu onredelijk was. „Nou, niet helemaal," verzachtte hij zijn woorden.
„Misschien kun je beter toch maar Linde even bellen," raadde ze hem aan.

„Daarmee zal ik haar heel erg ongerust maken. We gaan zoeken, hij kan nooit ver zijn."
„Misschien niet. Maar hij kan wel drie richtingen uit."
„We gaan ieder een kant uit."
Fleur voelde er helemaal niets voor om in de regen de straat af te zoeken naar een kind dat zo duidelijk niets van haar wilde weten. Maar ze begreep dat ze niet kon weigeren. Dus kleedde ze zich zo goed mogelijk aan.
Eenmaal buiten speurde Jean Luc in beide richtingen de straat af. „Hoelang zal hij ongeveer weg zijn?" vroeg hij zich hardop af.
„Niet langer dan een halfuur," meende Fleur. „Hij is jouw zoon, jij zou je in zijn gedachten moeten kunnen verplaatsen."
Hij wierp haar een nijdige blik toe. Het was echt iets voor Fleur om hem nu duidelijk te maken dat hij helemaal niets van het kind wist. „Gedachten lezen hoort niet bij mijn kwaliteiten," zei hij nors.
„Goed, welke richting pak jij?" vroeg ze nu zakelijk.
„Het maakt weinig uit, denk ik. Hij zal naar Linde willen gaan, maar hij weet de weg niet. Dus het kan elke kant zijn."
Fleur zette haar capuchon op en rilde demonstratief. „Ik zorg dat ik hier over een half uur terug ben. Als jij er dan ook weer bent, kunnen we andere maatregelen nemen. Ik heb dan wel lang genoeg in de regen gelopen, schat ik zo."
Ze liep de straat in en Jean Luc keek haar even na. Fleur gedroeg zich kalm en zakelijk, en waarom ook niet. Robin was haar kind niet. Zelf was hij helemaal trillerig van de zenuwen.
Hij begon te lopen, speurde zijstraten af, keek in portieken en vroeg aan diverse mensen of ze een jongetje in een blauw jack hadden gezien. De meesten liepen hoofdschuddend door. Een vrouw bleef staan en zei: „Ik zag wel

een kind in een blauw jasje. Maar hij was met zijn moeder en hij was blond." Jean Luc schudde het hoofd en liep door. Zijn regenjas bleek niet echt waterdicht en toen de regen toenam bleef hij een moment staan. Hij deed er beter aan terug te gaan en de politie te bellen. Aan de overkant was een klein park. Hij probeerde zich in Robin te verplaatsen. Zou hij daarheen gegaan zijn? Waarschijnlijk niet als hij op weg was naar Linde. Toch liep hij het park door. Er was niemand. Het kleine theehuis was gesloten. Men verwachtte met dit weer geen bezoekers. Resoluut nam hij de terugweg naar huis.
Even daarvoor was een werknemer van het theehuis zijn fiets gaan halen en had Robin gevonden. Aangezien het kind geen antwoord gaf op zijn vragen en de man naar huis wilde, zette hij de jongen achterop zijn fiets en reed naar het politiebureau.

Jean Luc haastte zich nu. Hij was langer dan een halfuur weggeweest en Fleur zou ongetwijfeld staan wachten. Stel dat ze Robin had gevonden. Het laatste stuk rende hij, kwam af en toe bijna in botsing met een paraplu. Hij mompelde een verontschuldiging en lette niet op het gemopper om hem heen. Hij was zijn zoon kwijt, terwijl hij hem nog niet eens goed had leren kennen.
Fleur stond tegen de gevel geleund en keek demonstratief op haar horloge.
„Ik weet het, je hebt een kwartier gewacht. Misschien kun je nu beter naar huis gaan," stelde hij voor.
„Ik wil graag wat droge kleren aantrekken en wat opwarmen, als je het niet erg vindt," zei ze.
„Dat kind wordt doodziek," mompelde hij.
„Misschien moet je de ziekenhuizen afbellen," stelde ze een tikje sarcastisch voor.
„Jij bent echt een enorme steun," zei hij nijdig.

Ze gingen zwijgend naar binnen en even voelde hij zich schuldig. Hij gedroeg zich tegenover Fleur erg onredelijk en het ergste was dat hij daar niet mee kon zitten.
In zijn agenda zocht hij het telefoonnummer van Linde. Ze nam bijna direct op. „Fijn dat je belt. Ik ben zo benieuwd hoe het gaat."
„Wel..." Hij haalde diep adem. „Hij is dus niet bij jou?"
„Bij mij? Hij is bij jou."
„Het punt is dat hij is weggelopen. En ik hoopte dat hij bij jou was."
„Hoe zou hij hier moeten komen? Hij weet de weg toch niet. Weggelopen? Wat heb je met hem uitgehaald?"
„De oorzaak is nu even niet belangrijk. We moeten hem vinden."
„Heb je de politie gebeld?"
„Ik wilde eerst jou inlichten."
„Wat attent van je."
„Linde, laten we nu geen ruzie maken. Kom hierheen, ik bel de politie."
Zonder nog iets te zeggen verbrak Linde de verbinding. Ze schoot in haar jas en was binnen enkele minuten in haar auto. Daardoor hoorde ze niet dat de telefoon begon te rinkelen. Voor het gebouw van het reisbureau parkeerde ze haar auto op een plaats waar ze zich anders nooit gewaagd zou hebben. Ze maakte zich nu niet druk hoe ze zich hier weer uit moest manoeuvreren.
Ze stoof de trappen op, drukte even later langdurig op de bel. Jean Luc opende direct de deur, trok haar naar binnen en hield haar tot haar verbijstering stevig in zijn armen. Ze worstelde om los te komen. „Ben je gek geworden!"
„Linde, hij is terecht."
Ze stond direct doodstil. Zijn bruine ogen waren heel dicht bij de hare. „Wat een opluchting," zei hij, terwijl hij haar langzaam als met tegenzin losliet.

„Waar is hij dan?"
„In het politiebureau. Iemand heeft hem in een soort schuurtje gevonden en daarheen gebracht. We kunnen hem gaan halen."
Bijna had Linde gezegd: Ik ga wel alleen, maar ze hield zich in. Het was duidelijk dat hij zich ook vreselijk ongerust had gemaakt.
„Zo, dat was even schrikken." Fleur kwam de gang in, gekleed in een lange ochtendjas, met vochtige haren. „Ik kom net uit bad," verklaarde ze.
Linde had er haar eigen gedachten over dat Fleur hier zo rondliep, maar ze zei niets.
„Wij gaan even," zei Jean Luc.
„Waarom liep Robin weg?" vroeg ze toen ze in de auto stapten. „En hoe kon dat gebeuren? Je kunt hem in de flat nauwelijks uit het oog verliezen. En naar buiten kan hij toch zeker niet zonder dat je het merkt."
„Ik had hem even naar zijn kamer gestuurd."
„Omdat je met Fleur alleen wilde zijn. Wil je geprezen worden omdat je hem niet bij jullie vrijpartijtje liet zijn?"
„Je vergist je," zei hij kalm.
„O ja? Waarom liep ze dan rond of ze zo uit bed kwam?"
„Jaloers?" vroeg hij sarcastisch. „In elk geval trek je voorbarige conclusies. Bij onze zoektocht was Fleur erg nat geworden en daarom nam ze een bad. Ik ben jou trouwens geen verantwoording schuldig."
„Wel als je zo slordig met een kind omgaat dat ik jou heb toevertrouwd. Waarom liep hij weg?" eiste ze voor de tweede keer.
„Hij wilde niet eten. Toen Fleur er iets van zei smeet hij een glas water in haar gezicht. Dat vind ik te ver gaan, dus stuurde ik hem naar zijn kamer. Toen ik hem tien minuten later ging halen was hij verdwenen."
„Fleur moet meer hebben gezegd dan alleen dat hij zijn

bord moest leeg eten. Dat laatste is trouwens achterhaald. Je moet een kind niet dwingen te eten."
„Jij bent de perfecte moeder. En ook de perfecte parkeerder." Hij keek naar haar auto die ze alleen zou kunnen weghalen als een van de andere wagens wegreed. „Knap kunstje om dat zo voor elkaar te krijgen."
Linde keek nog even om. Als de andere chauffeurs een beetje opschoven zou zij er tussenuit kunnen. Ze hoopte dat het zou gebeuren voor ze terug moest.
Jean Luc reed nu snel naar het politiebureau. „Ik stel voor dat we de strijdbijl even begraven," zei hij nog.
Robin zat op een houten bank in een kleine wachtruimte. Een blikje cola stond onaangeroerd naast hem.
„Robin!" Hij keek op en rende naar Linde toe. Ze sloeg haar armen stijf om hem heen. „We waren zo ongerust," zei ze.
„Wilt u even meekomen?" vroeg een agent die binnenkwam.
„Misschien moeten we tekenen voor ontvangst," spotte Jean Luc. Zijn gezicht stond strak. Het was hem weer opgevallen hoe Robin alleen Linde zag. Zijn zoon zou nooit echt voor hem kiezen en dat deed meer pijn dan hij ooit had kunnen denken.
Even later zaten ze tegenover een oudere man in burger.
„Met wie wil je mee, jongen?" vroeg hij tot hun verbazing aan Robin.
„Met niemand," was het onverwachte antwoord. „Ik wil bij alle twee wonen. Ik wil gewoon een vader en een moeder. Ons huis is groot genoeg voor drie."
De man maakte een machteloos gebaar met zijn handen. „Als iedereen toch eens tot zich liet doordringen wat ze kinderen aandoen met die verdraaide scheidingen."
„Hoewel u er niets mee te maken hebt, wij zijn niet gescheiden," zei Jean Luc strak.
„Des te beter zou ik zeggen."

„We hebben zelfs geen relatie," voegde Jean Luc er aan toen.
De man keek een beetje onthutst. „Dat lijkt mij een gecompliceerde toestand."
Aangezien de man eerder betrokken dan nieuwsgierig overkwam verklaarde Jean Luc: „Ik ben zijn vader. Linde is zijn tante."
„En ik wil dat jullie gaan trouwen," liet Robin zich horen.
De man stond op. „Nou misschien is dat niet zo'n gek idee," zei hij gemoedelijk. „Ik weet niet hoe alles in elkaar steekt, maar zoals de situatie nu is is dat ventje duidelijk doodongelukkig. Ik wil uw adres even opnemen. Van u beiden."
„Waar is dat goed voor?" vroeg Jean Luc scherp.
„Stel dat we ooit jeugdzorg moeten inschakelen. Dat is verder geen schande. Sommige mensen hebben hulp nodig om een bepaalde situatie aan te kunnen." Hij opende de deur voor hen. „Wat jullie ook beslissen, houd ook rekening met hem," zei hij nog.
Ze liepen naar de auto. „En wat nu?" vroeg Jean Luc. „Je bent dit weekend bij mij."
„Is zij er nog?" vroeg Robin.
„Dat weet ik niet."
„Zij heeft me geslagen," wendde Robin zich tot Linde. Hij begon zichzelf en de situatie nu toch wel erg interessant te vinden.
„Dat meen je niet," reageerde Linde geschrokken, hield zich dan in. Ze zou dit met Fleur bespreken.
„Je was erg vervelend tegen haar," zei Jean Luc nu. „En het is niet erg dapper om weg te lopen."
Hoewel Linde er grote moeite mee had gaf ze toch geen commentaar. Misschien was ze inderdaad veel te toegeeflijk voor Robin. Ze hield er altijd maar rekening mee dat hij geen moeder had en wilde het daarom juist erg goed

doen. Ze strafte hem nooit, het was ook niet nodig. Maar misschien was een terechtwijzing af en toe niet verkeerd. Alleen moest die niet van Fleur komen.
Jean Luc reed terug naar zijn appartement. Hij stapte uit en opende het portier voor Robin. Linde was ook uitgestapt. Ze zag tot haar opluchting dat haar auto meer ruimte had gekregen.
„Ik ga liever met jou mee," zei Robin, Lindes hand grijpend. „Anders ben jij zo alleen," liet hij er diplomatiek op volgen.
„Kom nog even koffie drinken," noodde Jean Luc. „Dan kunnen we praten."
„Al dat praten heeft tot nu toe niets opgelost. Robin heeft ook een stem," reageerde Linde.
„Ja, dat laat hij duidelijk blijken. Ga even mee, dat wil Robin ook graag." Het kind trok haar al mee naar de voordeur. Aangezien Linde geen oeverloze discussie op straat wilde, stemde ze toe.
Fleur zat haar nagels te lakken, nog steeds in haar badjas. Ze stond op toen ze binnenkwamen. „Ik ga me even aankleden."
„We drinken zo koffie."
Ze knikte alleen. Jean Luc ging naar de keuken en Linde bleef met Robin in de kamer. Ze stond even voor het raam dat uitkeek op de drukke straat. Wel een verschil met de rustige buurt waar zij nu woonde. Toch zou ze niet meer terug willen naar de stad. Hoewel haar leven nu wel een beetje saai was. Maar de weekends dat Robin bij zijn vader was zou ze weer kunnen uitgaan. Ze zou Katja kunnen bellen. Ze was een collega en een vriendin en vroeger trokken ze vaak samen op. Voorzover zij wist was Katja nog steeds alleen.
Ze stond dat alles te overdenken toen Robin naast haar kwam staan.

„Ik wil liever naar huis," zei hij zacht.
„Dat is toch niet leuk voor Jean Luc," zei ze even zacht.
„Ik denk niet dat hij mijn vader is," klonk het tot haar verbazing.
„Hoe kom je daar nou bij? Natuurlijk is hij dat wel." Het zou gemakkelijk zijn nu nog meer twijfel te zaaien en Robin tegen zijn vader op te zetten. Maar Linde wist dat ze dat niet meer wilde. Jean Luc probeerde een band met het kind op te bouwen. En hij was vreselijk ongerust geweest toen Robin weg was. Ze ging ook steeds meer inzien dat alles niet zo was gegaan als ze eerder had gedacht. Sofie had zich zeker niet als de volmaakte vrouw en moeder gedragen.
„Je hoeft daar echt niet aan te twijfelen Robin," zei ze ten overvloede. „Jullie lijken zoveel op elkaar, iedereen kan dat zien."
„Maar Fleur zei..."
„Fleur weet er helemaal niets van. Naar haar moet je niet luisteren."
„Nee, en smijt gerust een glas water in haar gezicht als iets je niet bevalt." Fleur kwam binnen, nu gekleed in een jeans met trui en laarzen.
Linde negeerde haar opmerking. Ze vroeg zich af of ze nog het plan hadden weg te gaan. Het begon al te schemeren. Robin zou op tijd naar bed moeten. Ze zouden hem hier toch niet alleen laten, hoopte ze. Toen Jean Luc met de koffie binnenkwam zei ze: „Als jullie nog ergens heen moeten, wil ik wel oppassen."
„Wil je hier soms komen wonen?" vroeg Fleur scherp.
„Sorry, dat was een dom voorstel," zei ze. Hoe had ze zo'n impulsieve opmerking kunnen maken!
„Je bent natuurlijk ongerust dat we hem hier alleen achter zullen laten," zei Fleur, niet ver van de waarheid.
„Aangezien jullie hem al kwijtraakten toen hij nog maar

enkele uren binnen was, is dat niet zo'n vreemde gedachte. Ik begrijp best dat jullie tijd en aandacht aan elkaar willen besteden, maar met een kind is dat nu eenmaal moeilijk."
„Je begrijpt er helemaal niets van. Het enige wat jij wilt is je hier opdringen. Misschien zie jij Jean Luc wel zitten. Dat zou pas een prima oplossing zijn."
„Houden jullie op," zei Jean Luc duidelijk geïrriteerd. „Kunnen we niet gewoon even koffie drinken en een paar dingen bespreken?"
"Misschien is het beter dat ik vertrek," zei Fleur.
Toen er niemand antwoordde stond ze op. „Jullie laten je regeren door een kind van acht jaar. Ik heb begrepen dat Lindes relatie ook dankzij hem is stukgelopen. En wij, Jean Luc? Ik begrijp nu dat Lindes vriend niet kon leven met voortdurend andermans kind voor zijn voeten of achter zijn rug."
Aangezien er nog steeds niet werd gereageerd, verdween ze uit de kamer en kwam even later met haar jas aan terug. „Ik wacht op jouw telefoontje," zei ze Jean Luc aankijkend.
Hij knikte alleen.
„Dit kan toch niet," zei Linde toen de deur achter haar was dichtgeslagen. „Je laat haar gewoon gaan."
„Ze komt heus wel weer terug," zei hij kalm.
Ze keek hem verontwaardigd aan. „Je bent wel van jezelf overtuigd, is het niet. Geen wonder trouwens. Eerst had je Sofie die als een soort slavin aan je voeten lag. Wat er in de tussenliggende jaren gebeurd is weet ik niet, maar je woonde vast niet in een klooster. En nu Fleur. Volgens mij houdt ze van je."
„Ja, dat vrees ik ook." Het klonk zo zorgelijk dat ze bijna in de lach schoot. „Het punt is dat Robin nu erg belangrijk voor me is. Als Fleur dat niet kan accepteren..." Hij haal-

de met een veelzeggend gebaar de schouders op.
„En jij kunt hier weinig over zeggen, want je liet je vriend ook gaan," zei hij nog.
„Als ik echt van hem had gehouden... Zoals bijvoorbeeld Sofie van jou hield, dan was het vast anders gelopen," zei ze als in gedachten.
Jean Luc wierp een blik op Robin die in een andere hoek van de kamer speelde met zijn piratenschip. Hij praatte, maakte allerlei vervaarlijke geluiden, en leek volledig in zijn spel op te gaan.
„Van Sofies kant was het eerder een obsessie," zei hij met een zucht. „Linde, wat denk je ervan om hier maar te blijven?" ging hij op iets anders over. „Robin zal het zeker gezellig vinden."
„Dat zal best, maar we gaan Robin de dienst niet laten uitmaken," zei ze flink.
„Helemaal mee eens. Maar ik vroeg het aan jou."
„Ik denk niet dat het verstandig is. Hij zal zich bepaalde illusies maken."
„Ja. Dat zou zeker kunnen. We moeten zorgen dat die onmiddellijk de kop worden ingedrukt."
„Nou goed. Alleen vandaag. Ik ga eerst naar huis om wat spullen te halen."
„Er hangt wel iets van Fleur."
Ze schudde beslist het hoofd. Om te veronderstellen dat zij in een nachthemd van Fleur ging slapen, daarvoor moest je een man zijn. Ze stond op en onmiddellijk kwam Robin ook overeind.
„Ga je weg?"
„Ik kom zo weer terug."
„Echt waar? En blijf je dan?"
„Alleen tot morgen."
Ze trok even later de deur achter zich dicht. Ze voelde zich zo gespannen als een kind dat een verrassing wacht. En

dat sloeg nergens op, vertelde ze zichzelf. Maar het had natuurlijk wel iets intiems om te blijven slapen. Zelfs al was dat in de logeerkamer bij Robin. En morgen samen ontbijten. Ja, ze moest toegeven dat ze het spannend vond. En ze deed er niemand kwaad mee. Natuurlijk, ze vond Jean Luc nog steeds aantrekkelijk en niet alleen uiterlijk. Dat was al zo geweest toen hij een relatie had met Sofie. Maar ze had zich altijd afzijdig gehouden. Ze hadden alleen een band door Robin.

HOOFDSTUK 8

Eenmaal thuis zocht ze wat spulletjes bij elkaar en wilde meteen weer vertrekken. Maar ze bedacht dat ze niet als een speer terug wilde vliegen. Hij moest geen verkeerde gedachten krijgen. Ze was echt niet beschikbaar voor een avontuurtje. Voor wat dan wel? Een duurzame relatie zat er met Jean Luc niet in. Nogmaals, het was met haar zusje misschien enigszins anders gegaan dan ze altijd had gedacht, maar het feit bleef: hij had Sofie in de steek gelaten toen ze hem het meest nodig had. En dat pleitte niet voor zijn karakter.
Ze besloot Katja te bellen. Die reageerde wel enigszins verbaasd. Ze had haar ook wel verwaarloosd. Ze zag haar op het werk, maar iets afspreken was er sinds Robins komst niet meer bij.
„Wat ga je morgen doen?" vroeg ze na een korte inleiding.
„Het gewone. Een beetje stappen met een groepje. In de bekende gelegenheden, hoewel er sinds jij er voor het laatst was wel wat is veranderd. Er zijn wat nieuwe tentjes. Er zijn enkele mensen bijgekomen die jij niet kent. Maar je bent natuurlijk welkom. Kom maar hierheen, je weet waar ik woon. Dat is hetzelfde gebleven."
Het had een beetje gereserveerd geklonken, dacht Linde toen ze de hoorn neerlegde. Ze had zichzelf de laatste jaren wel in een isolement gebracht. Er was alleen maar Robin geweest. En nu ze de kans had op wat meer vrije tijd aarzelde ze nog. Misschien was ze het helemaal ontgroeid om uit te gaan.
Intussen was er natuurlijk van alles gebeurd in het groepje waar ze altijd mee omging. Relaties waren verbroken en nieuwe ontstaan. En ze was van heel weinig op de hoogte. Katja had wel eens iets verteld maar echt belangstellend was ze niet geweest, dacht ze een beetje beschaamd.

Ze moest nu gewoon doorzetten. Ze waren geen kinderen meer die iemand buitensloten of negeerden. Het was niet vreemd dat Katja verbaasd had gereageerd. Ze herinnerde zich dat ze indertijd had gezegd: „Linde, je gaat je leven toch niet opofferen voor het kind van je zuster. Je bent pas achtentwintig. Je kunt later genoeg kinderen van jezelf krijgen."
Dat was Katja's standpunt geweest en niet alleen het hare. Linde zuchtte. In elk geval was het nog niet te laat om de zaken een beetje anders aan te pakken.
Even later stond ze weer buiten, tegelijk met haar buurvrouw.
„Ga je nog weg? Is Robin alleen?" vroeg deze.
„Robin logeert ergens," zei ze vaag.
„Als je wilt dat ik eens oppas dan zeg je het maar, hoor."
„Misschien zal ik binnenkort wel eens van dat aanbod gebruikmaken," reageerde Linde een beetje stijfjes.
Frances glimlachte nu. „Ik dacht al, hoe lang zal het duren? Het gaat om die lange knappe man, is het niet?"
Linde mompelde iets over haast hebben en stapte in. Het zou misschien beter zijn als ze Frances op de hoogte bracht. Zij zou toch niet rusten voor ze wist hoe de zaak in elkaar zat. En ze kon haar nog nodig hebben. Frances was best aardig, alleen erg nieuwsgierig. Robin zou het niet leuk vinden als zij 's avonds weg was. Het zou haar veel moeite kosten om niet voortdurend rekening met hem te houden.
Het was even later Robin die de deur opendeed. Zijn bruine ogen straalden haar tegemoet.
„Je blijft hier ook slapen. Zo is het net echt."
Ze glimlachte even. Het was een feit, Robin legde heel erg beslag op haar. Maar ze had dit wel zelf gecreëerd.
In de kamer was het gezellig. De open haard brandde en er waren enkele kaarsen aangestoken. De gordijnen

waren inmiddels gesloten. Zo was er een intieme sfeer ontstaan.
„Ik ga meteen maar koffie zetten," zei Jean Luc opgewekt. „Ik heb nog iets gehaald bij de avondwinkel."
Linde fronste. „Maak je er een feestje van?"
„In zekere zin wel. Vind je dat overdreven? Ik ben blij dat je hier wilt zijn. We kunnen nu de strijdbijl begraven en goede afspraken maken. Dat is voor iedereen alleen maar positief."
Linde zei niets. Was het voor haarzelf wel zo positief als ze regelmatig contact had met Jean Luc? Als ze hem alleen maar aankeek begon haar hart al te bonzen. Ze wilde zeker niet verliefd op hem worden. Dat zou als verraad voelen tegenover Sofie. Ze wist alleen niet of ze bepaalde gevoelens onder controle kon houden als ze hem regelmatig ontmoette.
„Kijk niet zo zorgelijk. Ik bied je alleen vriendschap aan," zei hij vriendelijk.
Ze knikte. Hij had natuurlijk gelijk. Fleur was er immers ook.
„Als wij koffie hebben gedronken moet je naar bed," zei ze tegen Robin. Hij knikte gewillig en hoewel hij pas acht was, verdacht ze hem er toch van dat hij het geen slecht idee vond als ze hier met Jean Luc de avond doorbracht.
Niettemin was het heel ontspannen om samen koffie te drinken, grapjes te maken en Robin een beetje te plagen. Het raakte haar om te zien hoe het kind van de situatie genoot. Ze brachten het kind samen naar bed nadat Linde hem had voorgelezen. Tijdens dat voorlezen had ze voortdurend Jean Lucs blik op zich voelen rusten. Ze gloeide in haar gezicht en niet alleen van de open haard.
„Ga jij hier ook slapen?" vroeg Robin toen ze hem instopte.

„Ja, dat is toch gezellig. Je hebt vanmiddag zo'n avontuur beleefd..."
„Dáárom hoef je niet bij me te blijven slapen," viel hij haar in de rede. „Ik ben niet bang. Ik was vanmiddag ook niet bang. Ik was boos."
„Je bent heel stoer," glimlachte Linde. „Maar ik was wel bang dat je nooit meer terug zou komen."
„Ja, dat snap ik," zei Robin met een zelfvoldane zucht. „Maar ik loop nu niet weg, hoor. Je mag gerust bij Jean Luc gaan slapen."
Linde wist niet wat ze moest zeggen en Jean Luc schoot hardop in de lach. „Zou jij het niet goedvinden?" informeerde Robin, Jean Luc aankijkend.
„Ik zou het reuze gezellig vinden," antwoordde Jean Luc, nog steeds lachend. Linde keek hem verontwaardigd aan. „Maar deze keer slaapt Linde bij jou," zei Jean Luc nu serieus.
„Nou, een andere keer dan," zei Robin opgewekt.
„Is hij niet erg wijs voor zijn leeftijd?" vroeg Jean Luc toen ze weer in de kamer zaten.
„In sommige opzichten wel. Ik ben zo'n beetje zijn enige gesprekspartner. Hij neemt zelden een vriendje mee naar huis. Altijd bang dat ze zullen vragen waarom er geen vader is. Een scheiding komt natuurlijk vaak genoeg voor. Maar een vader die spoorloos is verdwenen, dat is een andere zaak."
„Als je steeds een weg vindt om daarop terug te komen wordt onze verhouding er niet prettiger op," zei hij kortaf.
„Ik vertelde je de reden waarom hij zo weinig vriendjes heeft," zei ze even kort.
„Dat zal nu wel veranderen," meende hij.
„Als je hier blijft. Je hebt altijd veel gereisd, ook voor je naar Amerika vertrok."
„Ik nam Sofie vaak mee voor ze zwanger werd. Daarna

veranderde er veel, dat heb ik je al vaker verteld. Achteraf denk ik wel eens dat ze een postnatale depressie had. In plaats van naar een dokter te gaan greep ze steeds meer naar de pepmiddelen. Denk jij er wel eens aan dat ik ook verdriet heb gehad, Linde? Misschien hield ik niet van haar zoals zij van mij. Maar ik wilde er wel iets van maken. Toen ze mij echter toevoegde dat ze er niet zeker van was dat Robin mijn kind was en later zei dat ze met hiv besmet was, toen heb ik haar inderdaad in de steek gelaten. Het leek op een vlucht. Denk je dat ik het er niet moeilijk mee had dat mijn leven in puin lag?"
„Maar jij kon opnieuw beginnen. Je hebt nu Fleur."
„Denk je, denk je dat zij mijn grote liefde is? Je vergist je."
„Maar waarom... Volgens mij houdt zij wel van jou. Houd je haar aan het lijntje?'
„Ik kan heel moeilijk mensen verdriet doen." Ze keek hem aan en op dat moment geloofde ze hem. Dat was dus de reden dat het zo lang door was blijven slepen met Sofie. Ach Sofietje, drie maanden geleden had ze nog op de begraafplaats gestaan. Na die dag was ze er niet meer geweest.
Sofie had haar van alles verteld, maar nooit de waarheid.
„Sinds jij hier bent, lijkt het of ik Sofie voor de tweede keer heb verloren," zei ze zacht.
„Dat spijt me heel erg. Sofie was zo'n lief kind. Maar een kind. Het leek of ze niet volwassen wilde worden."
„Ik heb Sofie al die tijd verkeerd beoordeeld," gaf Linde nu toe. „En jou ook. Sofie was op het laatst zo ziek. Ik bleef maar denken dat alles niet gebeurd zou zijn als jij bij haar was geweest."
„Ik ben je dankbaar dat je zo goed voor mijn zoon zorgt."
„Ik heb het haar beloofd." Even zag ze weer Sofies uitgeteerde gezichtje voor zich in het hoge ziekenhuisbed. De tranen schoten haar in de ogen.

„Het moet heel erg voor je zijn geweest," zei hij zacht.
„Het was vreselijk. Ook voor mijn ouders. Maar ook zij wisten niets van haar hiv-besmetting."
„Dat kun je maar beter zo laten," zei Jean Luc.
Ze knikte, vroeg even later. „Blijf je hier wonen of is dit een tijdelijke oplossing?"
„Het is tijdelijk. Wist je dat ik had gehoopt het huis van je ouders te kunnen kopen? Ik vond dat altijd al een leuk huis. Ook de omgeving, vrij rustig en toch niet ver van de stad."
„Dan viel het dus tegen dat ik daar nu woon."
Hij haalde de schouders op. „Er zijn nog wel andere mogelijkheden."
„Denk je dat Fleur uit de stad weg wil?"
„Dat hoeft niet als ze niet wil. Wij hebben geen contract of iets dergelijks. We zitten op dit moment min of meer in een crisissituatie. Fleur wil namelijk graag een kind."
„En jij niet," begreep ze.
„Ik kan haar niet zien als de moeder van mijn kind. Het zou Robin ook behoorlijk in verwarring brengen. Ik wil hem toch graag om het weekend bij me hebben."
Ze zei niets. Was Jean Luc nu ook bezig zich volledig naar Robin te schikken?

„Je beseft wel dat je weekends dan heel anders gaan verlopen?" vroeg ze.
„Dat hoeft niet minder te zijn. Jij doet dit al anderhalf jaar."
„Het moet vreemd zijn om morgen vrij te zijn," peinsde ze.
„Ik heb met een vriendin afgesproken."
„Zul je voorzichtig zijn?"
Ze schoot in de lach. „Weet je hoe oud ik ben?"
Hij deed of hij diep nadacht. „Volgens mij word je deze zomer dertig."

„Klopt. Ik heb altijd beweerd dat ik voor mijn dertigste getrouwd wilde zijn. Volgens mij moet ik mijn grens maar eens gaan verleggen."
„Dan trouwen wij toch."
Ze staarde hem aan. Dit kon hij niet gezegd hebben. Ze besloot het in elk geval te negeren.
„Ik ga naar bed. Het was een enerverende dag," zei ze.
Hij stond tegelijk met haar op, hield haar tegen door de deurknop vast te houden.
„Je hoorde me wel," zei hij.
„Ja. Maar op dergelijke nonsens geef ik geen antwoord."
„Als ik dit nu eens serieus meende. We zouden een perfect gezin kunnen vormen, samen met Robin. Trouwen hoeft niet direct. We zouden eerst kunnen samenwonen. Je huis is groot genoeg, ik kan zelfs een aparte kamer hebben."
„Ben je wel helemaal lekker! Je hebt een relatie met Fleur, weet je nog. Bovendien, er zou toch meer moeten zijn dan nu tussen ons het geval is. Waarom begin je hierover, Jean Luc? Wil je samenwonen omdat Robin niet kan kiezen?"
Hij keek in haar sprekende groene ogen en opeens trok hij haar naar zich toe. Hij kuste haar en later wist ze dat ze niets had gedaan om aan die kus een eind te maken. Toen hij haar eindelijk losliet, zei hij: „Dit lijkt mij een heel goed begin."
„Je maakt misbruik van de situatie," zei ze scherp. „Als ik Robin niet had beloofd te blijven, zou ik nu vertrekken."
„Je vond het prettig," constateerde hij kalm. „Wees toch eerlijk."
„Ik wil niets met jou beginnen. Niet nadat je Sofie…"
Hij hief de handen omhoog als om haar tegen te houden meer te zeggen, wat ze dan ook niet deed. „Ik dacht dat dit nu was uitgepraat."
„Ja. Maar dat wil niet zeggen dat jij helemaal vrijuit gaat.

Ik blijf erbij: als je Sofie niet alleen had gelaten, leefde ze misschien nog."
„Dat is een harde beschuldiging, Linde. Je bent bijzonder haatdragend."
Ze haalde de schouders op en hij ging een stap opzij om haar door te laten. Ze zag dat ze hem had geraakt, maar dat kon haar op dit moment niet schelen. Zachtjes ging ze de logeerkamer binnen. Na een moment draaide ze de deur op slot.
Toen ze eenmaal in bed lag kon ze natuurlijk niet slapen. De kus leek wel op haar lippen te branden. Had ze het werkelijk prettig gevonden? Ze had zich aan hem willen vastklemmen en dat had ze vroeger ook al gewild. Had hij echt gemeend wat hij zei? Samen in haar huis? Wat ruimte betreft zou het inderdaad mogelijk zijn. Hij had er blijkbaar serieus over nagedacht.
Fleur telde blijkbaar niet voor hem. Daaruit bleek weer eens dat hij wel heel gemakkelijk met relaties omging. Want Fleur hield van hem, dat kon ze zo zien. Liet hij haar even gemakkelijk vallen als indertijd Sofie?
Maar zo kon het gaan. Met haar en Jack was het ook zomaar over geweest. Jean Luc samen met haar in één huis. Voor ze het wist zou ze verliefd op hem zijn. En dan liet hij haar weer vallen. Hij had nu wel genoeg schade aangericht. Toch had hij haar aangekeken of ze heel belangrijk voor hem was. Uiteindelijk viel ze toch in slaap.
Ze was alweer vroeg wakker. Het was vandaag zaterdag. Buiten was nog nauwelijks verkeer te horen en in het gebouw was het ook stil. Maar dat gold natuurlijk alleen voor de vroege uren in het weekend. Ze kon zich wel voorstellen dat Jean Luc hier niet wilde blijven wonen. Maar het huis van haar ouders: die mogelijkheid was dus direct al bij hem opgekomen. Hij wist natuurlijk dat haar vader en moeder veel tijd in Frankrijk doorbrachten. Het was

niet handig gebleken het huis tussentijds te verhuren. Als haar ouders dan een keer onverwacht naar Nederland wilden was het huis bewoond. Maar leeg laten staan was ook geen optie. Zijzelf had het altijd een heerlijk huis gevonden. Aan de buitenkant een huis uit de jaren dertig met een grote tuin. En van binnen aangepast aan de moderne eisen, maar heel sfeervol.
Toch dacht ze er onwillekeurig aan hoe het zou zijn daar met Jean Luc en Robin te wonen. Maar ze wilde daar niet aan denken, want het was onmogelijk. Ze ging rechtop zitten en keek recht in Robins heldere bruine ogen. „Ik denk dat Jean Luc nog slaapt," zei ze zacht.
„Mag ik naar hem toe?" vroeg hij.
Linde aarzelde. Ze had werkelijk geen idee wat Jean Luc daarvan zou vinden. Aan de andere kant, Robin stelde het zelf voor. Als er een spontane actie van het kind naar zijn vader uitging moest ze dat niet tegenhouden. Jean Luc wilde immers een band met zijn zoon.
„Ga maar," knikte ze. Te laat bedacht ze dat de deur op slot was. Robin rammelde aan de deur op een manier die wel door het hele huis te horen moest zijn. „Sorry, hij is op slot." Linde schoot haar bed uit, stootte haar teen tegen de bedbank en zei hartgrondig een lelijk woord.
„Gaat hier alles goed?" klonk het aan de andere kant.
„De deur is op slot. Waarom heb je ons opgesloten?" vroeg Robin kwaad.
Intussen had Linde de sleutel gevonden en draaide deze om. Jean Lucs spottende blik deed haar van kleur verschieten.
„Linde heeft de deur op slot gedaan," zei Jean Luc. „Ga je mee een ontbijt maken?"
„Waarom deed je de deur op slot?" eiste Robin een verklaring.
„Ja, waarom deed je dat?" Jean Lucs blik gleed over haar

heen en ze voelde zich belachelijk in haar lange T-shirt met de opdruk 'ik ben vrij'.
„Linde was bang dat er iemand binnen zou komen," zei Jean Luc en liet er zachter op volgen: „Ze is niet zo vrij als ze beweert te zijn."
Hij pakte Robin bij de hand en nam hem mee naar de keuken. Linde verdween in de badkamer. Ze geneerde zich. Hij was natuurlijk nooit van plan geweest binnen te komen. Maar hij zou nu weten dat ze daar toch rekening mee had gehouden.
Ze maakte zich snel klaar. Ze had alleen een ander shirt meegenomen, en propte haar andere spullen in de weekendtas, en zette deze alvast bij de voordeur. Jean Luc kwam juist de gang in. Hij keek naar de tas en vroeg: „Heb je zo'n haast?"
„Het was mijn bedoeling na het ontbijt te vertrekken," zei ze.
„Waarom?" riep Robin die ook de gang in kwam. „Waar ga je dan heen?"
„Naar huis," antwoordde ze onwillig.
„Nou, maar dan..."
„Robin, ik moet thuis nog van alles doen. Vanavond ga ik uit, ik wil nog even de stad in." Ze zweeg, boos op zichzelf, omdat ze het gevoel had dat ze zich moest verdedigen.
„Waar ga je dan naar toe?" drong Robin aan en toen ze zweeg kleintjes: „Je komt toch wel terug?"
„Natuurlijk kom ik terug. Maak je maar niet ongerust." Ze woelde even door zijn haar.
„Ik hoef ook niet hier te blijven."
Ze keek hem aan. „Robin, ik wil gewoon iets voor mezelf doen. Je bent hier en je vader zal goed voor je zorgen." Ze ging aan tafel zitten. Ze wist dat ze geïrriteerd klonk, maar het ging haar steeds meer opvallen hoe afhankelijk Robin zich opstelde. Het was wel begrijpelijk, maar de laatste

tijd kon ze er niet zo goed meer tegen. Ook invloed van Jean Luc. Op het moment dat ze besefte dat ze hem tegenover Robin voor het eerst 'je vader' had genoemd, merkte het kind op: „Misschien is hij mijn vader niet."
„Nou, dat weet ik in ieder geval heel zeker," zei ze voor de tweede keer in vierentwintig uur.
„Zullen we dan nu gaan eten?" stelde Jean Luc voor. Het ontbijt zag er aantrekkelijk uit met allerlei soorten broodjes en beleg, gekookte eieren en sinaasappelsap.
„We kunnen een andere keer wel eens met zijn drieën uit," opperde Jean Luc. „Als Linde het niet zo druk heeft." Linde ging er niet op in. Ze had het helemaal niet druk, sterker, ze vroeg zich zelfs af wat ze moest gaan doen.
„Waar gaan we dan heen?"wilde Robin weten.
„Nou, ik kan bijvoorbeeld de boot van een vriend lenen. Die ligt ergens aan het Veerse Meer. We kunnen varen, zelfs naar de Oosterschelde."
„Ik zou niet direct de zee op gaan. Ik heb nooit gezeild," zei Linde.
„Er zit een motor op die boot. En er zijn zwemvesten aan boord."
Linde wilde alweer protesteren, vanwege Robin die net zijn eerste zwemdiploma had gehaald, maar ze hield zich in. „Wie weet kunnen we een keer afspreken. We mogen aannemen dat het wéér steeds beter wordt."
„Volgende week dan maar," stelde Jean Luc onmiddellijk voor.
„Dan is Robin bij mij."
„Maakt dat wat uit?"
„Nou ja, ik weet het niet. Wil je Fleur dan ook meenemen?"
„Nee," riep Robin, verslikte zich bijna in zijn sinaasappelsap. Jean Luc reageerde niet, maar kennelijk zag Robin aan zijn blik dat deze opmerking hem niet beviel, want hij zweeg verder.

Toen ze klaar waren met eten en de ontbijtboel was opgeruimd, vroeg Jean Luc: „Kan ik je overhalen nog koffie te drinken?"
„Oké dan." Ze wilde eigenlijk helemaal niet weg. Ze had de hele dag voor zich. Ze was heus niet van plan uitgebreid te gaan winkelen. Ze werd pas vanavond om half negen bij Katja verwacht.
„Wat gaan wij doen?" vroeg Robin zijn vader.
„Ik weet een leuk museum met dinosaurussen en heel veel over geschiedenis."
Dat zou Robin zeker interesseren, dacht Linde. Toen Jean Luc hem even later een boek gaf met platen van prehistorische dieren was hij daar algauw in verdiept.
„Ga jij maar naar de kamer," zei hij. „Ik zet wel even koffie."
Ze ging. In deze kleine keuken stonden ze wel erg dicht bij elkaar. Misschien was hij de kus van de vorige avond al vergeten, maar zij niet.
Toen hij later met de koffie binnenkwam was Robin een dinosaurus aan het natekenen.
Linde stond voor het raam, keek naar beneden de straat in die langzaam tot leven kwam.
Hij kwam naast haar staan.
„Dit was niet wat ik voor ogen had toen ik uit Amerika terugkwam," zei hij. „Gek, dat ik steeds aan het huis van je ouders moest denken."
„Iets soortgelijks is vast wel te vinden," meende ze.
„Ik ben nu drie maanden in Nederland, maar ik heb nog steeds niet serieus gezocht."
„Doordat je al snel een vriendin had was daar waarschijnlijk geen tijd voor."
„Fleur is de zus van een collega, zij was ook een tijdje in Amerika. Het leek haast vanzelfsprekend dat wij met elkaar omgingen."

„En is het dat nu niet meer?" Ze tuurde nog steeds de straat in, keek hem niet aan.
„Ik denk dat je dat inmiddels wel hebt begrepen. Zullen wij samen een keer met de boot weggaan?"
„En Robin dan?"
„Is er dan helemaal niemand die op hem wil passen? Hij hangt als een klit aan jou, Linde. Je zou daar voorzichtig verandering in aan moeten brengen."
„Ik zou niet weten hoe."
Hij zweeg er verder over en zij ook. Ze wist echter dat hij gelijk had. Ze zou natuurlijk aan Frances kunnen vragen of ze wilde oppassen. Maar Robin zou zich zeker in de steek gelaten voelen. Moest ze dat dan maar gewoon negeren?
„Misschien kan hij in de vakantie een weekje bij mijn ouders logeren," zei ze, maar wilde meteen dat ze de woorden kon terughalen. Hij zou denken dat ze een hele week met hem wilde doorbrengen.
„Dat zou natuurlijk fantastisch zijn." Hij greep haar hand. „Dat geeft enig perspectief."
Ze knikte alleen en zei er verder niets meer over. Na de koffie vertrok ze. Ze wenste Robin veel plezier bij de dino's. Hij was zo verdiept in zijn tekening dat hij nauwelijks opkeek. Ze zou nu zijn aandacht kunnen trekken door uitvoerig afscheid te nemen, maar ze verdween zonder verder nog iets te zeggen.
Jean Luc bracht haar tot de auto. „Zul je voorzichtig zijn?" vroeg hij.
„Waarmee?"
„Met alles. Niet met vreemde mannen meegaan, bijvoorbeeld."
Ze keek hem een beetje spottend aan. „Ik kan wel op mezelf passen."
„Vast wel. Maar het is niet vreemd dat ik toch een beetje bezorgd ben."

Ze fronste. Was hij bang dat ze op Sofie leek? Gelukkig noemde hij haar naam niet.
Ze reed nu snel naar huis, parkeerde de auto op de oprit. Even bleef ze zitten. Het was niet vreemd dat Jean Luc hier zou willen wonen. Het was enorm groot. Er waren zelfs enkele kamers waar ze nooit kwam. Hij zou hier zelfs kunnen wonen, zonder dat ze elkaar hoefden te zien. Zowel boven als beneden was een extra slaapkamer en een badkamer. Lieve help, waar hield ze zich mee bezig?
Ze stapte uit de auto, liep naar de voordeur. Vanavond ging ze uit.
Eenmaal binnen inspecteerde ze eerst haar klerenkasten en besloot dat het groenfluwelen colbert er wel mee door kon. Een zwarte broek en een simpel zwart topje erbij, een beetje opfleuren met sieraden en proberen haar haren in model te krijgen.
Ze was zich juist aan het opmaken toen de telefoon ging. Niet Jack, hoopte ze. Hij had al geruime tijd niets laten horen, maar je wist maar nooit.
Het was echter haar moeder. „Heb je even tijd?" vroeg Ine. Eigenlijk niet, dacht Linde, maar dat hield ze voor zich. Ze wilde niet uitvoerig ondervraagd worden waar ze naar toe ging en met wie.
„Wij wilden een paar weken naar Nederland komen. We hebben een vakantiehuisje gehuurd in Drenthe."
„Maar jullie kunnen toch hier logeren," begon Linde.
„Nee, dat is nu juist niet de bedoeling. We wilden Robin meenemen. Ik heb begrepen dat de kinderen bijna een week vrij hebben zo rond de Pinksteren begin juni. De zomervakantie valt vrij laat, dacht ik."
„Dat klopt, je bent goed op de hoogte. Maar ik weet niet of Robin dat wel wil."
„Liefje, je moet echt eens wat meer tijd voor jezelf nemen."

Terwijl Linde met een half oor naar haar moeders argumenten luisterde vroeg ze zich af waar dit ineens vandaan kwam. Zou Jean Luc...? Nee, dat kon ze zich niet voorstellen. Maar het was wel een feit; zij zou dan ook een week vrij kunnen nemen. Eventueel een dag met de boot zoals Jean Luc had voorgesteld. En Robin was veilig bij haar ouders. Zij zouden goed voor hem zorgen, terwijl zij niet voortdurend in angst hoefde te zitten dat hem iets overkwam.
„Ik hoor niet veel commentaar van jouw kant," zei Inge nu.
„Het overvalt mij een beetje."
„Je zorgt nu al anderhalf jaar dag in dag uit voor Robin. Het lijkt me gezond dat je hem eens een weekje uit handen geeft."
De argumenten van haar moeder begonnen zo op die van Jean Luc te lijken dat ze achterdochtig werd. Ze vroeg echter niets. Als hij hier achter zat, zou ze dat heus wel te weten komen en dan zou ze hem vragen waar hij zich mee bemoeide.

HOOFDSTUK 9

Toen ze de hoorn had neergelegd bleef ze nog even zitten nadenken, herinnerde zich dan de afspraak met Katja. Wat was ze eigenlijk begonnen. Het was al zo lang geleden dat ze uit was geweest. Maar goed, ze moest nu echt doorzetten.

Ze had Katja niets verteld over Jean Luc, bedacht ze toen ze in de auto zat. Natuurlijk wist Katja wel van Sofie en dat zij Robin onder haar hoede had genomen. Dat wisten de meesten op kantoor.

Katja had wel eens gemopperd dat ze net als sommige andere vriendinnen die een kind hadden, haar eigen leven gewoon opzij had gezet.

Katja woonde in een van de buitenwijken van Rotterdam. Linde nam de trappen naar de derde verdieping van de flat en zag tot haar opluchting dat het bordje op de deur nog steeds alleen Katja's naam vermeldde. Toen haar vriendin de deur opende en haar vrolijk begroette leek het even of er niets was veranderd. „Wat is dit schandalig lang geleden," zei Katja. „We zouden thuis moeten blijven om bij te praten. Kom gauw binnen, we hoeven niet onmiddellijk weg."

Linde volgde haar naar binnen, plofte neer op de comfortabele bank. „Wil je koffie?" vroeg haar vriendin.

„Graag." Even later stonden ze allebei in de keuken.

„Je bent sinds een paar dagen een stuk blonder," zei Linde.

„Blond is in. Zo'n haarkleur als jij hebt, daar zou je eigenlijk een certificaat van echtheid aan moeten hangen."

„Ik weet het," zuchtte Linde, terwijl ze door haar kastanjebruine krullen streek die ze maar moeilijk in bedwang kon houden.

„Ik ben daar altijd ontzettend jaloers op geweest," zei Katja.

„Je meent het." Ze praatten nog even door over haarkleuren en trends. Toen vroeg Katja: „Is het nu echt uit met Jack?"
„Ja, dat kun je wel zeggen. Hoe weet je dat?"
„Ik kwam hem tegen in de stad. Hij vertelde mij dat jij je leven in dienst hebt gesteld van het kind van je zuster. Sorry, zo zei hij het. Waar is Robin nu?"
„Bij zijn vader."
„Hè? Je bedoelt Jean Luc? Hij is dus terug. En heeft hij zijn zoon opgeëist?"
„Min of meer. Hij wil hem beter leren kennen."
„Zo, zo. En wat als de kennismaking tegenvalt? Laat hij hem dan ook vallen, zoals hij met Sofie deed?"
Katja wist het een en ander af van de geschiedenis van haar zusje.
„Ik geloof niet dat hij dat doen zal," antwoordde Linde. „Hij lijkt me integer."
„Nou, dan is hij wel veranderd."
Linde zei niets. Ze wilde het ware verhaal van Sofie niet aan Katja vertellen.
Har vriendin nam haar opmerkzaam op. „Ben je verliefd op hem?"
„Natuurlijk niet! Hoe verzin je het?" Linde merkte dat ze te snel en te heftig reageerde.
„Nou, zo vreemd is dat niet. Hij was vroeger al een stuk. Toen was je ook al weg van hem. Het zou trouwens een oplossing zijn voor het kind."
„Dat is natuurlijk geen reden. Hij heeft overigens een vriendin."
„O ja? Nou, die is vast ook niet blij dat haar vriend ineens een zoon blijkt te hebben."
„Moeten we nog niet gaan," vroeg Linde. Katja begon te lachen. „Je bent nog altijd hetzelfde: niet meer zeggen dan je kwijt wilt. Maak je niet druk, ik praat nergens meer over."

Linde wist dat Katja volkomen te vertrouwen was. Maar ze was er nog niet aan toe om haar hart bij haar vriendin uit te storten.
Toen ze wat later in een drukke gelegenheid aan de bar zaten duurde het geruime tijd voor Linde zich op haar gemak voelde. Ze trok de aandacht, dat was altijd zo geweest, vooral door haar opvallende haarkleur. Ze ontmoette diverse jonge vrouwen die ze nog van vroeger kende. Sommigen hadden een vaste relatie, woonden samen, anderen waren getrouwd en hadden een kind. Maar ze was zeker niet de enige die alleen was.
Katja had ook nog steeds de ware niet gevonden. Het leven in haar eentje beviel haar prima, zei ze. Sommigen vroegen naar Robin, zij wisten nog van het overlijden van Sofie.
Maar ze merkten al snel dat Linde daar niet over wilde praten. Al met al werd het toch een plezierige avond en Linde voelde zich voor het eerst sinds lange tijd weer echt jong. Ze raakte aan de praat met een man die heel sympathiek overkwam. Hij was ook degene die haar thuisbracht. Tot haar opluchting maakte hij geen aanstalten om mee naar binnen te gaan. Wel vroeg hij haar telefoonnummer en gaf haar het zijne.
Linde was de man echter vergeten zodra ze binnen was. Haar eerste gedachte was, of Robin zou slapen. En toen: zou het Jean Luc zijn die haar ouders had gebeld en hun had gezegd dat zij nodig eens vrij moest hebben?
Ze viel vrij snel in slaap en werd de volgende morgen wakker van de telefoon. „Is er iets?" vroeg ze toen Jean Luc zich meldde.
„Wij missen je," was het antwoord. „Als je wilt komen, ben je welkom"
„Ik dacht dat je van mening was dat ik wat tijd voor mezelf moest hebben. Je belt me trouwens wakker."

„Hè wat vervelend nu." Ze hoorde aan zijn stem dat hij dit laatste niet echt meende.
„Trouwens, wie zegt jou dat ik alleen ben?" zei ze.
Het bleef even stil. Dan: „Sorry, dit was een spontane actie, maar wel een beetje ondoordacht."
Daar was Robin aan de telefoon. „Kom je nou? Fleur is er toch niet."
„Ik kom vanmiddag," zei ze kalm. Even voelde ze zich schuldig, maar ze duwde die gedachte weg. Robin was bij zijn vader.
Ze bracht de morgen door met uitvoerig in bad gaan en haar haren wassen. Daarna bakte ze een appeltaart die wonderwel lukte. Ze besloot deze mee te nemen naar Jean Luc.
Toen ze in de auto stapte bedacht ze dat ze wel even naar de begraafplaats kon gaan.
Zoals altijd was het er rustig. Wat verderop liep een ouder echtpaar, maar verder zag ze niemand. De laatste bloemen die ze had gebracht stonden verlept in de vaas. Het was te lang geleden dat ze hier was. In gedachten vertelde ze Sofie over Jean Luc en hoe de situatie veranderd was. „Ik zou zo graag weten wat jij van dit alles vindt. Je hield zoveel van Jean Luc. Waarschijnlijk ben je blij dat hij zich nu om Robin bekommert." Toch stond ze hier anders dan de laatste keer. Ze wist nu zoveel dingen meer die Sofie altijd voor haar had verzwegen...
Toch kon ze niet boos zijn. Ze verweet zichzelf dat ze niet had gezien wat er werkelijk speelde.
Toen ze de nieuwe bos bloemen een plaatsje had gegeven bleef ze nog een moment staan. „Misschien komt Jean Luc wel een keer mee," fluisterde ze. „Alsnog afscheid van jou nemen, Sofietje." Ze raakte even de steen aan en liep toen weg. Zoiets zou ze Jean Luc nooit vragen. Daar zou hij zelf mee moeten komen.

Even later reed ze naar het appartement. Toen ze uitstapte, keek ze omhoog. Er was deze keer niets te zien. Dat was beter dan dat Robin hunkerend voor het raam stond, dacht ze flink. Ze liep de trappen op en drukte even later op de bel. Jean Lucs prettige glimlach deed haar alweer een kleur krijgen. „We kijken al naar je uit," zei hij vriendelijk.
Toen ze koffie hadden gedronken en Robin even naar zijn kamer was, vroeg ze: „Had je nog plannen voor vandaag? Als het mooi weer is, ga ik meestal met Robin naar een speeltuin of een kinderboerderij."
Hij knikte even. „Ik vind niet dat Robin steeds beziggehouden moet worden. Hij moet leren zichzelf te vermaken."
Ze zei niets, voelde de irritatie alweer opkomen. Hij wist alles zo goed als het over Robin ging, terwijl zij hem toch al anderhalf jaar verzorgde. Even later ging Robin een dvd van de Dalmatiërs bekijken en zij ging in de buurt van het raam zitten. „Ik zou me hier toch een beetje opgesloten voelen," zei ze.
„Dat gevoel heb ik ook. Ik heb dit appartement ook maar tijdelijk gehuurd. Over drie maanden moet ik weg zijn. Na de zomer dus."
„En dan? Ga je weer reizen?" vroeg ze.
„Ik ben bezig met een andere baan. Bij een groot reisbureau met vestigingen door het hele land." Ze bleef hem afwachtend aankijken. „Ik zal nauwelijks meer reizen. Er zijn dan anderen die dat overnemen. Ik moet wel regelmatig al die bureau's langs. Maar dat is in Nederland."
„En Fleur?"
„Fleur? Ik denk dat zij in hetzelfde vakje thuishoort als Jack. Ze heeft mij duidelijk gemaakt dat ze mij wel wil, maar Robin niet." Hij haalde zijn schouders op.

Ze tuurde zwijgend naar buiten, wist niet wat ze ervan moest denken. Hij schoof Fleur wel heel gemakkelijk opzij.
„Heb je er nog over gedacht een keer te gaan varen?" vroeg hij.
Ze keek hem nu aan. „Heb jij mijn ouders gebeld?"
„Waarom vraag je dat?" Deze opmerking zei haar genoeg.
„Ja dus. Ik vind dat grenzeloze bemoeizucht."
„Een beetje gelijk heb je wel," gaf hij toe. „Aan de andere kant, nu ik terug ben en Robin regelmatig zal zien, zal ik hen ook wel weer eens ontmoeten. Het is hun kleinzoon. Robin heeft al zo weinig familie. En opa en oma zijn toch speciaal."
„Ik heb het er niet over dat je contact met hen zoekt. Je hebt over mij gepraat. Moeder zei dat ik niet aan mezelf toekom en dat zijn jouw woorden, dat weet ik zeker." Ze dempte haar stem toen ze Robins blik opving.
„Ze vroegen naar je. En ik heb niets gezegd wat niet de waarheid is."
„Heb jij ook snel dat vakantiehuisje voor hen geregeld?"
„Nee, daar weet ik niets van."
„Ze komen dus hierheen. Ze willen Robin een week meenemen."
„Dat is toch prachtig. Dan kunnen wij elkaar wat beter leren kennen."
„Dat lijkt me overbodig," zei ze, terwijl ze opstond. „Ik denk toch niet dat het zo'n goed idee is om hier vandaag te blijven." Ze keek naar Robin die boos terugkeek.
„Jij loopt steeds maar weg," zei hij verontwaardigd.
Ze zei niets en hij keerde zich weer naar de tv. Het interesseerde hem al minder of ze er was of niet. Jean Luc bracht haar naar de deur. „Hij heeft gelijk," zei hij rustig. „Je loopt voor jezelf weg. Waarom zie je niet onder ogen dat wij het heel goed met elkaar kunnen vinden?"

Ze keek hem aan en verlangde meer dan ooit naar zijn armen om haar heen.
„Ik vertrouw je niet, Jean Luc. Niet na Sofie. En nu laat je Fleur ook weer zonder meer vallen."
Hij zei niets meer, opende de deur voor haar. Linde reed naar huis en voelde zich doodongelukkig.
De telefoon rinkelde toen ze binnenstapte. Waarom liet hij haar niet met rust? Het was echter de man die haar de vorige avond had thuisgebracht. Gelukkig herinnerde ze zich op het juiste moment dat hij Dennis heette. Ze stemde toe toen hij voorstelde ergens koffie te gaan drinken.
Het was heus een aardige vent en hij zag er goed uit, dacht ze toen ze later een tafeltje hadden gevonden in een druk restaurant in de stad. Hij praatte wel veel en het ergste was dat het meeste haar niet echt interesseerde. Haar gedachten dwaalden steeds af en dat viel hem natuurlijk op. Toen ze een keer geen antwoord gaf op een vraag van hem, zei hij: „Waarom zei je niet meteen dat je liever niet meeging."
„Dat was niet zo," zei ze haastig. „Ik heb wat problemen thuis."
Hij ging er niet op in en ze begreep dat hij helemaal geen zin had in een vrouw met problemen. Toen hij haar weer thuis afzette wist ze dat hij niet meer zou bellen.
Piekerend zat ze later op de bank. Ze had lange tijd gedacht dat haar leven prima was zoals ze het leefde. Maar nu voelde ze zich heel erg alleen en dat kwam door Jean Luc.
Alles was zo anders als er een partner was. Iemand die zich echt voor jou interesseerde. Was het mogelijk dat Jean Luc van haar hield, of ging het hem alleen om Robin? In elk geval had Jack haar gedachten nooit zo in beslag genomen als nu Jean Luc. En ze had ook nooit gebeefd als Jack haar aanraakte en zo hevig gehoopt dat hij haar in

zijn armen zou nemen. Het leek er toch op dat Jean Luc wist ze hij haar niet onverschillig liet.
Maar ze wilde dit niet! Het voelde nog steeds als verraad aan Sofie.
Ze maakte die avond alleen een tosti klaar. Waarom kon ze niet zijn als Katja? Gelukkig in haar eentje.
Om half acht kwam Jean Luc met Robin. Ze vroeg hem niet binnen te komen. Hij beende echter langs haar heen de kamer in. Ze zag aan heel zijn houding dat hij boos was. Hij zei echter niets, ging op de bank zitten, terwijl zij Robin naar bed bracht. Deze keer ging hij niet mee en Robin vroeg er niet naar. Ze vroeg zich af of het kind ook boos was dat ze weg was gegaan. Misschien had hij met zichzelf afgesproken er niets over te zeggen. Soms kon Robin heel goed zwijgen.
Toen ze in de kamer terugkwam zat Jean Luc nog in dezelfde houding. Hij had de weekendbijlage van de krant naast zich liggen. Zijn handen lagen losjes op zijn knieën. Ze zag die gebruinde handen en voelde weer die kriebeling in de buurt van haar maag.
„Ik dacht dat je al weg was," zei ze.
„Zo, dacht je dat. Ik ga ook zo. Maar niet voor ik jou iets duidelijk heb gemaakt. Ik ben het zat."
„Ik ook," reageerde ze, hoewel ze alleen maar kon vermoeden wat hij bedoelde.
„De manier waarop je mij behandelt alsof ik een crimineel ben. Dat ik minder van Sofie hield dan zij van mij, kun je mij niet aanrekenen. Ik ben zolang mogelijk bij haar gebleven. Tot ik het zelf bijna niet meer aan kon. Tot ze mij zei dat Robin niet mijn kind was en ik wist dat ze aids had."
„Dat heb je allemaal al eens gezegd," merkte ze op.
„Van Fleur houd ik ook niet echt. Maar ik ben jou geen verantwoording schuldig. Ik vraag je alleen of we normaal

met elkaar kunnen omgaan. Of je niet steeds mijn verleden erbij wilt halen." Hij stond op en kwam wat dichter naar haar toe. Zijn stem was plotseling zachter toen hij zei: „Ik heb zo het vermoeden dat je wel een vriend kunt gebruiken."
Linde haalde diep adem, probeerde het verlangen om tegen hem aan te kruipen te negeren.
„Dat klinkt goed."
„Maar?" vroeg hij. Hij stak zijn hand naar haar uit en ze legde de hare er in. Even bleven ze elkaars hand vasthouden. „Aangezien we nu vrienden zijn, is het vast niet erg als we dit doen." Hij kuste haar. Eén keer, twee keer. Hij trok zijn hoofd even terug en keek naar haar, zag dat ze haar ogen gesloten hield. Toen ze haar hoofd tegen zijn schouder legde, boog hij zich weer naar haar over en kuste haar opnieuw.
„O," zuchtte Linde, toen ze elkaar eindelijk loslieten. „Dit is dus jouw idee van vriendschap."

De volgende morgen was Robin heel verbaasd toen hij Jean Luc in de keuken bezig vond.
„Ik breng je naar school," zei zijn vader.
„Was je hier al die tijd? Vannacht ook?" wilde Robin weten.
Jean Luc knikte en glimlachte naar Linde die juist binnenkwam.
„We hebben besloten dat we vrienden zijn," zei Linde.
„Kom hier dan ook maar wonen," vond Robin voortvarend. Linde had zo langzamerhand het gevoel dat de glimlach op haar gezicht was vastgevroren.
Toen Robin alvast naar buiten holde, kuste Jean Luc haar op de wang. Ze keek hem aan. „We moeten hierover praten," zei ze.
„Natuurlijk, het mag niet meer voorkomen." Hij gaf een

kneepje in haar schouder en verdween.
Terwijl Linde zich klaarmaakte om ook naar haar werk te gaan, dacht ze over de afgelopen nacht. Behalve dat ze elkaar diverse keren hadden gezoend was er niets gebeurd. Op haar verzoek had Jean Luc in de logeerkamer geslapen. Ze wilde niet dat dit uit de hand liep. Of eigenlijk wilde ze dat wel. Maar vannacht had ze het uitgeteerde gezichtje van Sofie weer voor zich gezien. En ze wilde niet zomaar een losse verhouding. Ze wist niet of Jean Luc serieus was. En hoe moest ze dit alles aan Robin uitleggen?

De weken daarna zagen ze elkaar regelmatig maar Jean Luc bleef niet meer slapen. Ze praatten veel samen, maar niet over dat ene onderwerp. Linde wist dat ze verliefd op hem was.
In feite was de verliefdheid van vroeger nooit helemaal gedoofd. Ze vertelde zichzelf nu dat Sofie dit niet erg zou vinden. Zij moest dit toch kunnen begrijpen.
Toen had Robin Pinkstervakantie en kwamen haar ouders hem halen. Ze had Robin hierover verteld en na enige aarzeling had hij tot haar opluchting toegestemd. Ine en Paul bleven de eerste dag bij Linde, want het huisje was pas de dag daarop beschikbaar.
Die avond kwam Jean Luc en haar ouders begroetten hem zonder enige reserve. Dat verwonderde Linde toch. Waren ze gemakshalve vergeten wat er allemaal was gebeurd?
„Je vindt het vast fijn dat je papa hier nu is," zei Ine opgewekt tegen Robin.
Robin fronste zijn wenkbrauwen. „Iemand zei dat het niet zeker is dat hij mijn vader is."
„Lieve help. Kijken jullie eens samen in de spiegel," riep Paul uit.

Robin haalde de schouders op en Jean Luc maakte een gebaar wat zoveel betekende als: ik weet niet hoe ik dit moet veranderen.
„Hoe komt hij daar nu bij," verbaasde Ine zich.
„Zo vreemd is het ook weer niet," reageerde Linde. „Vanaf zijn tweede jaar heeft hij geen vader gehad. Dan komt er ineens iemand opdagen die beweert dat Robin zijn zoon is. Hij was vanaf het begin wantrouwend, ook een beetje door mij denk ik. En als er dan iemand een opmerking maakt in de trant van: het is helemaal niet zeker dat Jean Luc je vader is… ja dan."
„Het is niet vreemd dat hij in de war raakt. Maar het komt wel goed," voegde ze er niet helemaal overtuigd aan toe. „Het zal gewoon tijd kosten."
Toen Robin naar bed was, vertelden haar ouders over hun leven in Frankrijk. Later liepen ze door het huis en haalden herinneringen op aan vroeger.
„Ik ben heel blij dat jij hier wilt wonen," zei haar vader. „Het is een fijn ruim huis."
Toen Linde koffie ging zetten, bleef Ine bij haar in de keuken. „Is er iets tussen jullie?" vroeg ze. „Ik bedoel, iets meer dan boosheid en wantrouwen van jouw kant?"
„Denken jullie ooit nog aan Sofie?" was Lindes wedervraag.
„Kind toch. Iedere dag praten we wel over haar. Dat verdriet gaat nooit meer over. En de vraag of we haar niet méér hadden kunnen helpen houdt mij ook uit de slaap."
Ine had tranen in de ogen. Zacht zei ze: „Maar omdat Sofie zo ongelukkig was, hoef jij je niet verplicht te voelen dat ook te zijn."
Linde keek haar moeder aan. „Wat bedoel je?"
„Ik zie meer dan je denkt. Jij houdt van Jean Luc en hij van jou. Jij durft niet gelukkig zijn. Denk je dat Sofie op deze manier jouw leven zou willen bepalen? Ze gunde iedereen

een grote mate van vrijheid en nam die zelf ook, dat weet je."
„Wat niet goed afliep," bracht Linde in het midden. „En als jullie je afvragen of je niet meer had kunnen doen, dan zou Jean Luc dat zeker moeten denken."
„Toen hij vertrok was Sofie nog niet zo ziek. Wij hebben het immers ook niet gezien."
Linde wilde niet zeggen: jullie waren er gewoon niet. Het had geen zin meer. En misschien mocht je van ouders niet eisen dat ze zich opofferden voor een verslaafde dochter die bovendien zelf geen contact wilde.
„Als je Jean Luc ziet, dan is het duidelijk dat hij verlangt naar de liefde van zijn zoon. Maar ook dat hij bang is zich op te dringen. En dat hij van jou houdt moet je toch zeker gemerkt hebben."
Linde mompelde iets. Ine zei er niets meer over, maar haar dochter had weer genoeg om over na te denken.
Jean Luc vertelde die avond van alles over zijn reizen en ze hadden plezier om de soms wonderlijke voorvallen. Het werd een ongedwongen avond en toen hij vertrok namen ze hartelijk afscheid. Ine stelde voor dat ze de laatste week van de zomervakantie naar Frankrijk zouden komen en Jean Luc reageerde direct positief. Linde zag het ook wel zitten.
„Ze zijn helemaal voor je gevallen," zei ze toen ze hem uit liet.
„Ja. Ik wilde dat jij daar een voorbeeld aan nam."
„Vrienden," herinnerde ze hem. Hij raakte even haar wang aan maar kuste haar niet, hoewel ze tegen dat laatste niet geprotesteerd zou hebben.
In die week dat Robin uit logeren was namen ze een dag vrij om in Zeeland te gaan zeilen. Het was een beetje vervelend dat er onweer werd verwacht Maar dat hoefde niet daar te zijn op de plaats waar zij zich bevonden, zei Jean

Luc opgewekt. „Trouwens, er is radio aan boord. Er gaan onmiddellijk waarschuwingen de lucht in als er zwaar weer dreigt."
Linde voelde zich ontspannen en genoot van het gevoel van vrijheid. Jean Luc reed in anderhalf uur naar het Veerse Meer waar de boot van zijn vriend lag. Het was een zeer warme dag en Linde droeg een korte broek en een topje met daaronder haar bikini. Ze had nog wel een fleece sweater bij zich voor het geval het weer inderdaad zou omslaan.
Er lagen nogal wat boten in de haven, maar de naam Noa hadden ze zo gevonden. „Zo heet zijn eerste dochter," verklaarde Jean Luc. Er waren nog meer mensen bezig hun boot klaar te maken. Een oudere man zat rustig op het dek van zijn boot en zei: „Ik blijf aan land. Ik vertrouw het weer niet."
Linde keek naar de lucht waar geen wolkje te zien was. Maar ze was wel zo wijs geen commentaar te leveren. Mensen die hier woonden hadden veel verstand van het weer.
„Echt zeilweer is het niet. Er is geen zuchtje wind," zei Jean Luc. Linde vond het wel prima. Zij had nooit eerder gezeild en als ze er aan dacht dat de zeilboot helemaal scheef in het water kwam te hangen bij een stevige wind, trok dit haar niet echt aan.
Ze inspecteerden samen de boot. In het roefje kon koffie gezet worden en een eenvoudige maaltijd worden klaargemaakt. Er was een bank met een onderschuifbed.
„Als we dat zouden willen kunnen we ook een paar dagen wegblijven," zei Jean Luc. „Je kunt dan in de avond ergens aanleggen en de volgende morgen weer verder varen."
„Laten we eerst maar eens zien dat we deze dag overleven," reageerde Linde.
„Kun je zwemmen?" vroeg hij.

„Natuurlijk kan ik zwemmen."
„Oké, we gaan. Zwemvesten liggen achter deze deur. En kijk niet zo benepen. Het is net als in een vliegtuig. Je moet gewoon weten wat er in geval van nood moet gebeuren."
Het geluid van de motor was niet meer dan een rustgevend gebrom en Linde ontspande zich op een van de gemakkelijke stoelen die op het dek waren verankerd.
Ze zat heel stil. De zon verwarmde haar en er was alleen lucht en water. Ze trok haar topje uit en begon zich met lome gebaren in te smeren. „Zal ik je rug doen?" vroeg Jean Luc.
„Straks." Eigenlijk wilde ze niet dat hij haar aanraakte. Af en toe zette Jean Luc de motor af en dreven ze zachtjes voort. Er was nog steeds geen wind. Linde dacht dat de lucht nu minder helder was. Ze wilde echter niet als een angsthaas overkomen, dus zei ze niets.
„Er is hier ergens een eiland met wilde paarden," wist Jean Luc te vertellen. „Er lopen ook van die enorme langharige runderen. Een soort oerossen. Ik denk dat die er al waren voor de mensheid bestond."
Linde had niet direct behoefte om oog in oog komen te staan met zo'n enorm dier.
Ze aten de meegebrachte broodjes en dronken ijsthee. Linde voelde zich volmaakt tevreden en toen Jean Luc naast haar kwam zitten vroeg ze niet eens of dat zomaar kon. Alles was zo vredig en ze leunde ontspannen tegen hem aan.
„Zullen we net doen of we iets meer zijn dan vrienden?" vroeg Jean Luc plagend. Ze voelde zijn lippen in haar hals en op haar schouder en wist dat ze hem niet zou tegenhouden.
Onverwacht kraakte echter de radio. Er werd iets gezegd, maar door een plotselinge windvlaag konden ze dit niet direct verstaan. Jean Luc zag de donkere wolken niet die

zich achter hem samenpakten en Linde had de ogen gesloten. „Toch maar even luisteren," meende Jean Luc opstaand.
„Laten alle schepen zo snel mogelijk naar een haven terugkeren. Er is zwaar weer op komst," klonk het.
Het bootje schommelde plotseling en Jean Luc keek over zijn schouder en zag de bui door de lucht voortrazen. „Linde, zwemvest aan en ga plat in de boot liggen," schreeuwde hij.
Ze kwam haastig overeind en zag toen ook het gevaar. Hoe kon de lucht voor haar nog zo zonnig en blauw zijn en zo zwart achter haar? „Ik probeer bij dat eiland te komen," wees Jean Luc.
Er stond ineens een krachtige wind en Linde worstelde met haar zwemvest. Op dat moment haalde de bui hen in. In enkele seconden veranderde de dag in bijna nacht. De zon werd verduisterd en de regen plensde neer alsof de wolk in zijn geheel openbarstte. Het bootje helde plotseling over en kraakte vervaarlijk. De motor sputterde en hield er ineens mee op. De boot leek rond zijn as te draaien, helde naar de andere kant en rolde als in een vertraagde film omver.
Linde kwam in het water terecht waar een enorme golf haar direct overspoelde. Toen ze weer bovenkwam was de boot al tientallen meters bij haar vandaan. Wanhopig probeerde ze een paar slagen te zwemmen, maar een tweede golf trok haar naar beneden.
Even was ze doodsbang dat ze zou verdrinken, maar toen kwam ze opnieuw boven en ze begon heftig te watertrappen. Waar was Jean Luc? Toch niet onder de boot? Ze schreeuwde zijn naam, maar bij het geluid van de wind en de golven leek het niet meer dan een fluistering. Rechts van haar, niet eens zo ver weg, zag ze een groene strook. Het eiland. Met de golven mee begon ze weer te zwem-

men, ze merkte dat de regen minder werd. Ze zag het bootje niet meer. Het begon lichter te worden en toen een smalle streep zonlicht vanonder een wolk tevoorschijn kwam gleed er een onwezenlijk licht over het water.
Hoewel Linde uitgeput begon te raken, vatte ze weer moed. De afnemende storm voerde haar naar het eiland en ineens voelde ze dat ze in ondieper water terecht kwam. Ze wilde gaan staan, maar viel voorover. Halfhuilend en hijgend sleepte ze zich naar de smalle strook zand waar achter al snel grasland begon. Een moment bleef ze op haar knieën zitten, maar tenslotte dwong ze zich overeind. Ze worstelde zich door het water dat nu tot haar enkels kwam en het zand heen naar het natte gras.
Daar draaide ze zich om. Er was nog steeds een flinke golfslag, maar de regen was opgehouden. De zware donkere wolken leken voor de toenemende kracht van de zon te vluchten.
Hoewel ze hevig beefde, stond ze toch weer op en tuurde over het water. Waar was Jean Luc? Hij zou toch niet verdronken zijn? Hij had zijn zwemvest aan, probeerde ze zichzelf gerust te stellen. Hij kon natuurlijk uitstekend zwemmen. En als zij het had kunnen redden zou hij het toch zeker moeten kunnen. Maar als hij gewond was geraakt door iets uit de boot? Er was zoveel geweld geweest. Stel je voor… stel je toch voor. Nee, ze wilde dat niet denken. Ze wilde hem niet kwijtraken. Ze liep moeizaam enkele meters hoger, het lange natte gras sloeg tegen haar blote benen. Toch voelde ze de warmte van de zon alweer. Opnieuw tuurde ze over het meer, maar er was niets te zien. Van de boot ook geen spoor en evenmin van enig ander vaartuig. Waren zij de enigen die aan deze kant op het water waren geweest?
Als hij niet terugkwam, als hij het niet had gered... Wat

moest ze beginnen? Ze begon de hoop op te geven. Hoe moest ze dit aan Robin vertellen? Moest het kind opnieuw iemand verliezen. En zijzelf dan? Ze had hem steeds op een afstand gehouden, maar nu zou ze willen dat hij haar vasthield en nooit meer losliet.
Kon ze maar iemand bellen. Maar haar mobiel lag natuurlijk in het water. Hoelang kon een man het volhouden in het water? Stel dat er straks weer een bui kwam. De lucht was nu weer stralend blauw. Maar dat gaf geen enkele garantie, dat was wel gebleken.
Langzaam strompelde ze wat verder het eiland op, steeds in rechte lijn. Lang hield ze dit echter niet vol. Ze was zo doodmoe, ze moest gewoon even gaan liggen. Ze legde haar hoofd op het zwemvest en sloot de ogen.
Ze droomde dat Jean Luc met langzame, slepende pas haar richting uit kwam. Hij riep haar naam maar ze kon hem niet antwoorden. Zijn hand streelde haar gezicht, haar schouders, haar hele lijf tot aan haar voeten toe. Ze schoot met een ruk overeind en staarde naar Jean Luc die haar voeten om de beurt masseerde. Ze keken elkaar aan, grepen elkaar vast en vielen languit in het gras. „Je leeft! Ik droom het niet," hijgde Linde.
„Wij leven," beaamde hij hees.
Wat er toen gebeurde kwam als een storm over hen heen. Alle principes vlogen met de wind mee, zelfs de gedachte aan Sofie. Alleen zij tweeën en zij leefden!

HOOFDSTUK 10

Later lagen ze een hele tijd stil in elkaars armen terwijl de zon hen verwarmde. Eindelijk begon Linde: „Dit was niet…"
Hij legde een vinger op haar lippen. „Stil. Misschien was dit niet het goede moment. Misschien had het weinig met liefde te maken. Maar wij vierden onze redding en niets had ons kunnen tegenhouden. Zelfs die ossen niet."
Linde ging langzaam overeind zitten. Enkele meters bij hen vandaan stonden twee enorme langharige runderen die hen nieuwsgierig aanstaarden.
„De dag van hun leven," zei Jean Luc met een glimlach.
Linde zei niets. Er was iets wat haar dwars zat. Maar ze kon het zich niet herinneren. Het zou vast weer boven komen als een of ander monster uit een moeras.
„We waren bijna dood," fluisterde ze.
Hij legde zijn arm om haar heen, trok haar dicht tegen zich aan. „We leven, Linde, maar het was op het nippertje."
„Hoe heb jij je gered?" vroeg ze.
„Nou ik werd min of meer uit de boot gesmeten en ik zag jou nergens. Ik wist niet zeker of jij een zwemvest aan had. Ik kon alleen maar de kant van het eiland uit, ik werd daar als het ware heen gesleurd. Het was ook de enige kans om te overleven en ik hoopte dat jij dat ook besefte. Maar ik kwam aan de andere kant van het eiland terecht. En toen kon ik niet anders doen dan gaan lopen en over het meer turen en me de vreselijkste dingen in het hoofd halen. O, Linde, ik was zo bang dat je het niet gehaald had. Ik dacht er aan dat ik je niet kwijt wilde. En dat wij samen… met Robin. Ik voelde me schuldig dat ik toch was uitgevaren ondanks de waarschuwing. Ik hoop dat ze ons gaan zoeken. Ze weten dat we zijn vertrokken en ze hebben het noodweer natuurlijk ook meegemaakt, hoewel het volgens mij heel plaatselijk was. Dus we moeten

hier blijven wachten, dan kunnen we hen zien aankomen. Of wil je op het eiland blijven? Het is natuurlijk wel romantisch." Zijn toon was alweer plagend.
Hij had gezegd: misschien was het geen echte liefde. Dat was wat haar dwars zat!
„We moeten dit maar snel vergeten," zei ze.
Hij keek haar aan. „Dat zal niet gemakkelijk zijn, Linde."
„Vind jij deze manier om onze overleving te vieren de juiste?"
„Het was het enige wat wij op dat moment wilden. Jij ook," zei hij kalm.
Hij heeft gelijk, besefte ze. Ze had hem alleen maar dicht bij zich willen hebben. Zo dicht mogelijk. „Het spijt me," mompelde ze.
„Ik wil er niets meer over horen." Hij stond op en tuurde over het meer. Hij liep een eindje van haar weg. Was hij boos? Wilde hij dat ze gelukkig was om datgene wat er was gebeurd? Het was immers alleen maar ontstaan uit het verlangen te weten dat ze leefden. Als hij dat ene maar niet had gezegd. Misschien was het geen liefde...
Terwijl Jean Luc over het water uitkeek, zag hij ineens twee boten naderen. Ze waren dus toch aan het zoeken. Even later klonk het doordringende geluid van een scheepshoorn. Linde krabbelde overeind en ging naast hem staan. „We moesten een vuurpijl hebben," zei ze.
„Maar we kunnen ook met ons zwemvest zwaaien. Vind je niet?" vroeg ze, toen hij bleef zwijgen.
„Tenzij je hier wilt blijven," zei hij. Ze keek hem aan. Dit kon hij niet serieus menen.
Toen hief hij het feloranje zwemvest boven zijn hoofd en riep enkele malen. Linde wilde hetzelfde doen, maar ze kon haar armen nauwelijks optillen.
Ze zagen nu dat een van de boten van koers veranderde en hun richting uitkwam.

„We gaan weer terug naar de gewone wereld," zei Jean Luc. Had hij dit hele gebeuren ook ervaren als iets wat niet in het gewone leven thuishoorde?
Toen ze eenmaal in de boot zaten vertelden ze hun verhaal. Ze begrepen van hun redders dat ze enorm geluk hadden gehad dat ze zo dicht bij het eiland waren toen de bui losbarste. Er bleken nog twee bootjes onderweg te zijn. „Ervaren schippers, maar met een dergelijke venijnige bui heb je niet veel aan ervaring," zei een van de schippers. „Je wordt letterlijk een speelbal van de golven."
„Ik heb het totaal niet zien aankomen," zuchtte Jean Luc.
„Dergelijk zwaar weer hadden wij ook niet verwacht. Maar goed, jullie hebben het gered, al is de boot verloren. Het kan zijn dat die weer ergens aanspoelt, maar er zal dan wel het een en ander aan opgeknapt moeten worden. Als dat tenminste nog zin heeft."
Linde luisterde naar het gepraat zonder dat echt tot haar doordrong wat er gezegd werd. Ze had het vreemde gevoel of ze de laatste uren had gedroomd.
Eenmaal aan de kade liepen ze direct naar hun auto. Er stonden diverse mensen te praten, maar Linde wilde alleen maar naar huis. Ze voelde zich doodmoe. Ze praatten niet onderweg, en het leek haar eindeloos te duren voor ze eindelijk voor haar huis parkeerden. Jean Luc stapte ook uit en liep met haar mee naar binnen.
In de keuken zakte ze op een stoel neer en staarde voor zich uit.
„Zal ik koffie zetten?" bood Jean Luc aan.
Ze knikte alleen, stond op en liep moeizaam de trap op. Ze ging haar slaapkamer binnen en kroop in bed. Ondanks de warmte trok ze het dekbed over zich heen. Binnen een minuut sliep ze, maar een rustige slaap was het niet. Ze vocht tegen de golven en de wind en vloog met een kreet overeind toen Jean Luc met de koffie binnenkwam. Hij

ging op de rand van het bed zitten. „Zoiets gaat niet zomaar aan je voorbij," zei hij. „Zal ik hier blijven, Linde?"
Ze knikte, dronk even later de koffie op. „Ik voel me abnormaal vermoeid, zeg maar uitgeput," zei ze.
„Ik ook. We zijn geradbraakt." Hij leek te aarzelen, zei dan: „Dan ga ik ook maar naar bed."
Ineens zag Linde er vreselijk tegenop alleen in haar kamer te blijven. „Wil je niet hier slapen?" vroeg ze.
„Als jij dat wilt."
Ze knikte, mompelde: „Maar we hoeven niets te vieren."
Hij glimlachte even. We hadden dood kunnen zijn, dacht Linde. Ze herinnerde zich weer haar angst om Jean Luc. Stel dat alleen zij was gered. Wat zou ze zonder hem moeten beginnen? Ze hield van hem, ze wist het zeker. Maar hij… ze was niet zeker van hem.
En ze wilde niet zo van hem houden als Sofie had gedaan. Hij liet mensen in de steek: haar zusje, Fleur en wie weet waren er meer geweest in die jaren. Ze durfde hem niet echt te vertrouwen hoe graag ze dat ook wilde.
Ondanks alles sliep ze vast en diep tot de volgende morgen. Ze moesten allebei naar hun werk en volgens Jean Luc was dit ook het verstandigste wat ze konden doen.
„Afleiding is nu belangrijk," zei hij. Ze moest hem gelijk geven. Als ze hier alleen thuis bleef zou ze voortdurend die angst weer beleven.
Eenmaal op kantoor waren er momenten dat ze even niet aan haar angstige avontuur dacht. Maar ze was er nog niet aan toe om er over te vertellen. Voor anderen was dit ook niet belangrijk. Zijzelf zou het nooit vergeten en evenmin datgene wat erop gevolgd was.
Ze moest proberen wat afstand te nemen van Jean Luc.

Robin had genoten van het weekje bij opa en oma, maar hij was ook blij weer thuis te zijn.

Ine en Paul bleven nog een poosje in Nederland. Ze kwamen regelmatig bij Linde en ontmoetten daar ook Jean Luc. Soms gingen ze gezamenlijk eten. Ook namen ze Robin een keer mee voor een dagje pretpark.
Lindes zomervakantie zou samenvallen met de laatste drie weken van de schoolvakantie. Uiteraard was dit in het begin van het jaar al vastgelegd. Hoewel Jean Luc wel af en toe vrij wilde nemen was het voor hem niet mogelijk een hele week op te nemen. „We moeten dit volgend jaar anders regelen," mopperde hij. „De zomervakantie is voor mij moeilijk. Maar de periode vlak voor of na de herfstvakantie, zullen we dan samen iets boeken?"
„Ik weet het niet. Robin heeft dan geen vrij."
„Daar moeten we een oplossing voor zoeken. Misschien bij een vriendje.
„Een hele week. Dat zie ik nog niet voor me."
Hij zweeg er verder over.

Een paar weken later waren haar ouders weer in Nederland voor een dertigjarige bruiloft van goede vrienden.
In die week had Linde met haar moeder afgesproken om een dagje te gaan winkelen. Robin was dat weekend bij Jean Luc en deze wilde hem meenemen naar Disneyland in Parijs. Hoewel Robin haar had gesmeekt ook mee te gaan had ze geweigerd. Ze wilde niet de hele dag met Jean Luc samen zijn.
Toen ze met haar moeder koffie dronk begon deze er weer over. „Ik had toch echt gedacht dat het wel iets zou worden tussen jou en Jean Luc."
„Waarom?" vroeg ze afwerend.
„Omdat jij zo duidelijk van hem houdt."
Linde kreeg een kleur. „Mam, dat is erg overdreven."
„In mijn ogen niet. Waarom geef je er niet aan toe? Je

moet je geluk grijpen als het op je weg komt, Linde."
„Ik durf hem niet volledig te vertrouwen, mam."
„Dat is niet eerlijk. Jij bent Sofie niet. Hij houdt ook van jou, dat kan iedereen zien."
„Mam, als jij het verdriet en de narigheid van Sofie zo van nabij had meegemaakt als ik zou je wel anders praten."
„Je kunt Jean Luc niet de schuld geven van Sofies problemen. Er is iets wat jij niet weet, maar wat ik je toch ga vertellen."
Linde fronste. Ze wist niet of ze wel wilde horen wat haar moeder nu ging zeggen.
„Toen Sofie in de puberteit was, ben ik eens met haar naar een psychiater geweest. Die vertelde mij dat Sofie voortdurend uitdagingen opzocht en over bepaalde grenzen heen wilde gaan. Hij noemde haar een borderlinepatient. Ik maakte me toen grote zorgen. Ze was in die tijd nauwelijks te hanteren. Vaak kwam ze midden in de nacht thuis, soms dronk ze teveel."
„Waarom heb je mij dat nooit verteld?"
„Ik wilde jou daarmee niet belasten. Jij had het druk met je vriendinnen, met je studie.
En toen ontmoette Sofie Jean Luc. Je weet hoe ze veranderde. Ze werd rustiger en ik schaam me te moeten zeggen dat ik Jean Luc niets vertelde over haar eerdere problemen. Ik hoopte zo dat het weer goed zou komen. Het ging ook lange tijd goed. Dacht ik... Tot ze met drugs begon..." Ine zweeg.
„Je had het mij moeten vertellen, mam," zei Linde, verbijsterd door hetgeen ze had gehoord.
„Waarom? Denk je dat jij er iets aan had kunnen veranderen? Maar ik begrijp dat Jean Luc het op den duur niet meer aankon en de problemen min of meer ontvluchtte."
Ze keek haar dochter aan en Linde zag tranen in haar ogen. „Sorry, dat ik jou dit alles heb verteld. Ik had liever

gehad dat je het beeld van Sofie had kunnen bewaren, zoals je dacht dat ze was. Maar dat zou niet eerlijk zijn tegenover Jean Luc."

Dat beeld van Sofie was toch al in puin gevallen, dacht Linde. Ze was echter niet van plan haar moeder te vertellen wat zij wist. Dat laatste geheim, de waarheid over Sofies ziekte, moest voor haar ouders verborgen blijven.

„Zullen we dan nu maar gaan winkelen," stelde ze voor.

Ine knikte en stond op. Het duurde even voor ze weer ontspannen met elkaar praatten. Linde wilde verschillende dingen aanschaffen en vond het wel prettig haar moeder deze keer bij zich te hebben. Ze zocht tussen haar gebruikelijke maat 38, paste een groen vestje bij een lichte jeans. Ze wist dat groen heel mooi stond bij haar dieprode haarkleur. Alleen kreeg ze het vestje niet goed dicht en bij de broek had ze hetzelfde probleem. „Is dit echt maat 38?" vroeg ze haar moeder. Deze knikte. „Je zult een maatje groter moeten hebben."

„Maar ik heb al mijn hele volwassen leven maat 38!" protesteerde Linde.

„Dan ben je zeker wat dikker geworden," veronderstelde Ine. „Dat vestje staat echt niet goed, het trekt. En de broek knelt in je middel. Dat lijkt me heel onaangenaam."

„Nou goed, dan koop ik niks en ga ik eerst lijnen," bromde Linde.

„Moet je ongesteld worden?" vroeg haar moeder.

„Ongesteld? Ik dacht het niet. Ik ben nooit zo regelmatig, maar het is inderdaad al een tijdje geleden." Ze ving Ine's blik op en hield een moment haar adem in.

„Nee moeder, dat kan helemaal niet." Ze stond haar moeder nog hulpeloos aan te kijken toen een verkoopster van achter het gordijn vroeg: „Lukt het dames?"

Linde mompelde iets en begon met nijdige gebaren de kleren uit te trekken en haar eigen spullen weer aan te doen.

Haar eigen jeans zat trouwens ook strak, merkte ze.
Ine bracht de spullen terug naar de verkoopster, zei dat ze nog wat verder wilden kijken en greep haar verbijsterde dochter bij de arm.
„Laten we maar ergens gaan zitten" stelde ze voor. „Hier vlakbij is een parkje."
Linde liet zich willoos meenemen en zakte even later neer op een bank. Ze was ongesteld geweest, een week voor ze met Jean Luc ging varen dacht ze. En dat was nu dus zeven weken geleden. Ze kon er nooit de klok op gelijk zetten, maar door die boottocht wist ze het deze keer wel precies.
„Jij weet of het mogelijk is dat je zwanger bent," zei Ine zacht. En van wie, dacht ze er achter aan. Even schoot het door haar heen: leidde haar oudste dochter misschien ook een dubbelleven, zoals indertijd Sofie? Maar ze verwierp die gedachte onmiddellijk.
„Ik zou zwanger kunnen zijn," mompelde Linde. „Sinds het uit is met Jack ben ik gestopt met de pil. Jean Luc... ik was... het liep een keer uit de hand."
In stilte glimlachte Ine. Het kon erger, maar ze wachtte zich er wel voor dat te zeggen.
„Maar dit wil ik niet, echt niet. Jean Luc zal denken dat ik hem net als Sofie door een zwangerschap aan mij wil binden. En dan slaat hij weer op de vlucht."
„Wat wil je dan wel?" vroeg haar moeder serieus. „Het is nog heel erg in het begin maar..."
„Nee mam, ik overweeg geen abortus. Maar ik wil niet dat Jean Luc dit te weten komt."
„Je zult het niet lang verborgen kunnen houden. Zullen we even langs een apotheek gaan voor een test?"
„Nee. Ik wil er niet meer over praten. Er is best kans dat ik morgen ongesteld word."
Ine zei niets. Zij hield geen rekening met deze mogelijk-

heid en Linde in haar hart ook niet, dat wist ze wel zeker.
„We vertrekken over twee weken weer naar Frankrijk. Wil je met ons mee?" opperde ze.
„En Robin dan?"
„Jean Luc kan voor hem zorgen."
„Die kan hem echt niet hele dagen hebben. Hij heeft zijn werk. Zullen we maar naar huis gaan? En zeg niets tegen pa. En ik wil niet dat Jean Luc dit te weten komt."
„Dat heb je al gezegd. Als je het zo wilt, is het jouw keus. Maar je zou onder deze omstandigheden best wat steun kunnen gebruiken."
„Ik red het wel. Ik ben Sofie niet. Ik heb hem niet nodig."
Eenmaal thuis probeerde Linde alle gedachten aan een zwangerschap van zich af te zetten. Wat natuurlijk niet lukte. Sterker, het was geen moment uit haar gedachten.
Toen haar ouders waren vertrokken en ze alleen in de kamer zat, kwam alles levensgroot op haar af. Ze kon Jean Luc hiervan niet de schuld geven. Ze had toen even graag gewild als hij.
Om hun overleving te vieren...! Nou, dat was wel heel letterlijk gebeurd.
De komende tijd probeerde Linde zo min mogelijk met Jean Luc alleen te zijn. Dat was niet zo moeilijk omdat Robin er bijna altijd bij was. Op een avond belde hij haar op.
„Kunnen we een afspraak maken?" vroeg hij kortaf.
„Is er iets bijzonders?" vroeg Linde, terwijl ze omlaag keek langs haar beginnend buikje
„Er zijn een paar dingen waar ik het met jou over wil hebben. Ik wil ook naar je toekomen als dat je beter schikt."
Hij zou met een weigering geen genoegen nemen, dat hoorde Linde aan zijn stem. „Goed dan," zei ze met duidelijke tegenzin.

Ze spraken bij haar thuis af. Hier kon ze tenminste iets gemakkelijks en wijds aantrekken.
Linde had enkele dagen daarvoor haar eerste afspraak met de verloskundige. Alles was prima in orde en toen ze het hartje hoorde kloppen schoten haar de tranen in de ogen.
„Uw partner mag de volgende keer gerust meekomen," zei de vrouw vriendelijk. „Het wordt voor hem dan ook iets meer werkelijkheid."
Linde knikte vaag.
„Als je wilt kun je over een maand een echo laten maken. Maar dan zou ik zeker de vader meenemen," zei de verpleegkundige nog.
Als in een roes reed Linde naar huis. Het was echt waar. Ze kreeg een baby! Het kindje leefde en groeide in haar buik. Onvermijdelijk dacht ze weer aan Sofie. Hoe had haar zusje dit indertijd ervaren? Wanneer had ze Jean Luc ingelicht? Linde zou daar graag iets meer over weten. Maar als ze Jean Luc hier iets over wilde vragen, moest ze wel heel subtiel te werk gaan.
De avond dat hij kwam droeg ze een velours huispak. Ze voelde zich daar prettig in, en het verborg haar figuur. Het was direct weer vertrouwd om Jean Luc in huis te hebben.
Hij las Robin voor en bracht hem naar bed. Robin vroeg deze keer niet of hij bleef. Blijkbaar had hij de situatie geaccepteerd zoals deze was.
„Ik heb je een paar dingen te vragen en ik wil een eerlijk antwoord," zei Jean Luc toen hij weer op de bank zat. „Waarom ontloop je mij? Dat is begonnen sinds die boottocht. Ben je boos omdat ik zo onverantwoordelijk was om uit te varen, ondanks de waarschuwing?"
Ze schudde het hoofd.
„Oké, is het omdat wij beiden, ik zeg beiden, onze zelfbe-

heersing verloren? Ben je soms bang dat het opnieuw zal gebeuren."
„Nee. Het zou vreemd zijn als we weer in dergelijke omstandigheden terecht kwamen. En het had immers alleen met de omstandigheden te maken."
Hij keek haar strak aan. „Je wilt dus beweren dat het voor jou niets betekende. Het had bij wijze van spreken ieder ander kunnen zijn?"
„Laten we erover ophouden," verzocht ze. „Was er nog iets anders waarover je wilde praten?"
„Ja. Ik moet over twee weken de flat hebben ontruimd. Ik heb nog niets gevonden. Ik vroeg me af of ik een tijdje bij jou kon logeren. Je zult geen last van me hebben. Beneden is immers ook een slaapkamer en een badkamer. We hoeven elkaar niet eens te zien. En het zou voor Robin ook beter zijn dan steeds dat heen en weer gesjouw van de een naar de ander."
Linde dacht na. In haar hart wilde ze niets liever dan dat Jean Luc altijd in haar buurt was. De vader van Robin en ook van het kindje dat ze droeg. Als hij hiervan wist, zou hij vast niet zo graag bij haar willen wonen.
„Ik ben zwanger," flapte ze eruit.
Zijn blik liet haar niet los. „Van mij," fluisterde hij.
„Een gevolg van het verliezen van onze zelfbeheersing," kon ze niet nalaten op te merken.
„Een gevolg van de blijdschap dat we dit allebei hadden overleefd en dat we nog konden liefhebben," verbeterde hij ernstig. „O Linde, is het niet prachtig!?"
„Dit was niet direct de bedoeling," zei ze.
„Ik ben er toch. Je hebt er toch niet over nagedacht om het te laten weghalen?"
„Het is even in mij opgekomen," zei ze eerlijk. „Maar niet echt serieus. Het wordt niet gemakkelijk. Vooral met Robin. Maar ik red het wel."

„Ben je van plan mij volledig buiten dit alles te houden?" Ze hoorde dat hij boos begon te worden.
„Ik dacht dat je misschien niet echt blij zou zijn. Met Sofie..."
„Ik was met Robin ook blij, hoewel dat inderdaad te vlug was voor ons alletwee toen. Moeten we het daar weer over hebben? De oplossing is dat wij gaan samenwonen. Het is toch de meest logische oplossing! Ik ben de vader van het kindje dat je verwacht en ook van Robin."
„Voor Robin ben je jaren niet in beeld geweest," kon ze toch weer niet voor zich houden.
„Dat weet ik. Maar als jij me de kans geeft, kan ik nog veel goedmaken. Besef je wel wat je die kinderen onthoudt als je mij buiten spel zet? Ik wil er van nu af aan gewoon bij zijn."
„Ik ben bang dat het niet gaat tussen ons," zei ze eerlijk.
„Waarom niet? We kunnen prima met elkaar opschieten."
„Ik kan met meer personen goed opschieten. Er moet meer zijn."
„Er ís meer. Dat weet je heel goed. Je bent koppig. Er was in die tijd van Sofie al meer tussen ons. Maar Linde, ik blijf niet bedelen. Ik wil een antwoord."
Hij zat tegenover haar en ze wist dat hij niet zou vertrekken voor ze een duidelijk antwoord had gegeven. Wat moest ze doen? Ze kon hier met niemand over praten. Haar ouders zouden dit plan onmiddellijk toejuichen. Ze zouden opgelucht zijn. Het was voor ouders nu eenmaal niet leuk een dochter te hebben met een kind zonder vader. En Katja zou zeggen: maak er niet zo'n probleem van, ga het gewoon proberen, je ziet wel hoe het loopt.
Linde wist echter heel zeker dat ze het niet aan zou kunnen als Jean Luc het gezinsleven na korte tijd voor gezien hield. En waarom zou het anders gaan dan bij Sofie? Goed, zij was dan wel niet verslaafd, maar dat was Fleur ook niet.

„Als je bent uitgedacht...” liet Jean Luc zich horen. Het was duidelijk dat zij hem irriteerde.
„Goed dan,” ging ze overstag. „Je kunt hier komen wonen. Maar alleen op basis van vriendschap.”
Hij zei eerst niets en even was ze bang dat hij het op deze voorwaarde zou weigeren. Toen knikte hij.
„Goed. Maar je kunt niet tegenhouden dat ik me bij jou en het ongeboren kind en bij Robin betrokken voel.” Dan zakelijk: „Ik kom morgen terug om te kijken hoe we het hier het beste kunnen regelen. Er is uiteraard maar één keuken. Koken we om de beurt?”
„Natuurlijk niet.” Hij grinnikte en ze wist dat hij het haar niet gemakkelijk zou maken. Maar toch was ze wel opgelucht dat het op deze manier geregeld zou worden. Hij zou altijd in haar buurt zijn.
De zaak was snel rond. Jean Luc had voorgesteld om haar huur te betalen, en om een en ander zo zakelijk mogelijk te houden had ze dat geaccepteerd.
Robin was opgetogen over deze verandering. De eerste tijd vroeg hij ook niet waarom Jean Luc de meeste avonden in zijn eigen afdeling doorbracht. Zijn vader at wel met hen mee. Soms kookte hij en hij bracht Robin regelmatig naar bed. Het kind was al blij dat hij nu gewoon thuis kon blijven om zijn vader te zien. Het was nog steeds wel zo dat hij het ene weekend vooral met Jean Luc optrok en het andere meer bij Linde was.
Linde had gemerkt dat enkele mensen, onder wie haar buurvrouw die alles in de gaten had, dit maar een vreemde regeling vonden. Daarom had ze op kantoor gezegd dat ze samenwoonden.
Robin vertelde op school dat zijn vader nu bij hen woonde en niemand vroeg daar hoe dat precies was geregeld. Behalve natuurlijk Roel, hun buurjongen. Het gebeurde niet vaak dat Robin bij hem was. Ze verschilden teveel in

leeftijd. Maar een enkele keer paste Frances nog wel eens op.
Toen Frances vroeg of ze nu officieel samenwoonden, had Linde haar verteld dat ze goede vrienden waren en dat Jean Luc even zonder woonruimte zat.
„Dus hij gaat weer weg?" vroeg Frances die precies wilde weten hoe het zat.
„Die kans zit er in," antwoordde Linde neutraal. Ze wist niet of Jean Luc werkelijk naar woonruimte zocht en ze vroeg er ook niet naar.
Enkele dagen kwam Robin met een nors gezicht thuis. Hij plofte in een stoel en schopte nijdig tegen de tafel.
„Is er iets?" vroeg Linde.
„Jean Luc is toch niet mijn vader."
„O Robin. Daar hebben we het al vaker over gehad. Waarom geloof je mij niet? Dat is hij wel."
„Waarom wonen jullie dan apart? En waarom slaapt hij niet bij jou?"
Linde fronste. Dit kwam niet van hemzelf. „Waarom vraag je dat opeens?" stelde ze een antwoord even uit.
„Roel zegt dat een echte vader en moeder bij elkaar slapen." Daarin had die jongen natuurlijk gelijk, dacht Linde.
„Het is bij ons anders," begon ze moeizaam. „Ik ben niet met Jean Luc getrouwd."
Een zwak argument. Ze hoopte maar dat Robin niet op de hoogte was van de vele ouders die samenwoonden zonder huwelijk.
„Waarom gaan jullie dan niet trouwen?" vroeg het kind.
„Wel... om te trouwen moet je veel van elkaar houden."
„Dus jij houdt niet van Jean Luc?"
Linde raakte in een moeilijk parket. „Ik houd wel van Jean Luc, maar niet zoveel dat ik met hem wil trouwen," zei ze toen maar.
„Ik vind het stom," zei het kind.

Linde ging er niet verder op door. Ze hoopte maar dat hij er niet meer op terug zou komen. Over niet al te lange tijd zou ze hem moeten vertellen van het kindje dat op komst was. Hoe zou hij dat opvatten? Ze zou dit toch maar met Jean Luc overleggen.
„Je bent toch wel in staat hem het een en ander uit te leggen," zei Jean Luc op haar vraag.
„Ik ben bang dat hij jaloers zal zijn. Hij begrijpt toch al niets van onze verhouding." Ze vertelde hem wat Robin had gezegd.
„Dan kom ik toch gewoon bij jou slapen. Het is een kwestie van mijn bed verhuizen naar jouw kamer. Geen probleem. Zolang we niets meer zijn dan vrienden is er niets aan de hand."
Linde vond de afstandelijke houding die Jean Luc de laatste tijd aannam maar moeilijk te verteren. Maar ze had dit zelf gewild. Hij vroeg wel regelmatig hoe ze zich voelde. Hij had ook gezegd dat hij mee wilde als ze voor een echo moest. Linde begreep dat ze daar niet om heen kon.

HOOFDSTUK 11

Toen ze de afspraak had gemaakt deelde ze hem dat zakelijk mee. Hij leek te aarzelen en onmiddellijk reageerde Linde: „Je hoeft niet mee."
„Daar gaat het niet om," zei hij korzelig. „Had je niet even kunnen overleggen? Ik heb een vergadering. Het lijkt er wel op dat je alles in het werk stelt om mij buiten te sluiten. Maar dat gaat je niet lukken, al moet ik mijn baan er voor op het spel zetten. Zullen we in mijn auto gaan?"
Ze stemde toe. Het zou te gek zijn als hij in zijn wagen achter haar aan zou komen. Hij had ook gelijk dat hij boos was. Ze had geweten dat hij mee wilde. Ze had dit even moeten bespreken. Ze begreep zichzelf soms niet. Waarom kon ze niet leven zoals Katja, die zei: „Grijp je geluk nu het voor je voeten ligt. En laat het niet liggen omdat je bang bent dat het weer verdwijnt." Ze dacht erover na en besloot toen dat ze zich anders zou gedragen. Vriendelijker, meer open, meer ontspannen.
Ze liep die morgen met een glimlach rond en toen hij haar kwam halen zei hij: „Je ziet er vrolijk uit."
Ze knikte. „Ik voel me goed. Ik ben 's morgens weer fit. Ik vind het heel spannend om te zien hoever het kindje is gegroeid."
Hij hield het portier voor haar open. Even later stelde ze de vraag waar ze onmiddellijk weer spijt van had: „Ben je indertijd met Sofie ook mee geweest?"
Hij startte de auto en even dacht ze dat hij geen antwoord zou geven.
„Nee," klonk het dan kortaf. „Volgens mij is ze nooit voor een echo geweest. Ze ging pas naar de dokter toen ze al over de helft was. Soms denk ik dat ze haar zwangerschap zo lang mogelijk wilde negeren."

„Ze was er blij om," reageerde Linde.
„Ik weet het niet. Zoals met zoveel dingen handelde ze impulsief toen ze met de pil stopte. En toen het zover was dacht ze waarschijnlijk: wat ben ik begonnen? Ze was nauwelijks achttien."
Hij zuchtte. „Waarom wil je steeds over Sofie praten? En waarom zit er achter iedere opmerking een verwijt?"
Ze zei niets, ze wist dat hij er niet ver naast zat.
Even later liepen ze samen het ziekenhuis in naar de afdeling verloskunde. Alles was daar wat minder zakelijk en strak dan op de andere afdelingen. De muren waren in zachte tinten geschilderd. Afbeeldingen van ooievaars op de deuren. De wachtkamer had naast de gewone banken ook enkele kinderstoeltjes. Er lagen vrolijk gekleurde kussens en er was wat speelgoed.
Ze waren vrij snel aan de beurt. Linde mocht op de smalle onderzoekstafel gaan liggen en Jean Luc ging aan het hoofdeind zitten. De zuster vertelde vriendelijk wat ze ging doen. Even later zagen ze op het scherm wat velen voor hen hadden gezien: een kindje in wording met het hoofdje te groot in verhouding met de rest.
„Kijk, dit is de ruggengraat. Zie je de armpjes?"
Linde staarde en zonder dat ze er iets tegen kon doen liepen haar de tranen over de wangen. Jean Luc greep haar hand en ze zag dat ook hij geëmotioneerd was. Op de vraag van de zuster of ze wilden weten of het een jongen of een meisje was, zeiden ze gelijktijdig nee.
„Zie je dat? Het beentje beweegt," fluisterde Jean Luc.
De verpleegkundige glimlachte. „Dit kan nog veel heftiger. Maar dat hebt u vast ook al gevoeld. Ik denk dat hij of zij nu slaapt."
Na afloop kregen ze een afdruk mee van de echo. Zwijgend liepen ze door de gang, beiden te zeer onder de indruk om iets te zeggen.

„Als ik het vanavond aan Robin vertel, wil jij daar dan bij zijn?” vroeg ze.
„Vanavond kan ik niet. Wil je het tot morgen uitstellen?”
Linde wist niet waarom ze zo teleurgesteld was. „Ik dacht alleen, het loopt tegen het weekend. Dan heeft hij een paar dagen om vragen te stellen. Je weet hoe hij is.”
„Vanavond komt Fleur.”
„Bij mij? In mijn huis?” Haar stem schoot verontwaardigd uit.
„Je kunt mij niet verbieden iemand te ontvangen.”
„Is het tussen jullie weer aan?” aarzelde ze.
„Linde, Fleur is gewoon een goede vriendin. Ik ken haar al jaren. Als ik niet beter wist zou ik denken dat je jaloers was.”
Dat ben ik ook, dacht ze woedend. Maar ze wilde niet dat hij dat wist, dus zweeg ze verder. Ze was van plan geweest hem te vragen samen koffie te drinken. Maar met een kort ‘tot ziens’ liep ze naar binnen en rechtstreeks naar boven. Er was een kans dat hij ook op het idee kwam koffie te zetten en ze wilde hem even niet zien. Ze ging op het bed zitten, haalde de afdruk van de echo uit haar tas en legde die naast zich neer. Net nu ze samen zo'n intiem moment hadden beleefd had hij ineens geen tijd voor haar en Robin. Vanwege een afspraak met Fleur. Hoe haalde hij het in zijn hoofd dat mens hier uit te nodigen?
Maar als hij iemand op bezoek wilde kon dat nergens anders dan hier, probeerde ze redelijk te denken. Hij had immers geen ander huis. Bovendien betaalde hij huur. Ze woonden niet echt samen, hoewel dat aan anderen moeilijk viel uit te leggen. Ze leefden voor een deel apart en zoals het er nu uitzag zou dat wel zo blijven.
Moest ze Robin nu vertellen van het komende kindje? Jean Luc zou erbij willen zijn. Aan de andere kant, als

Fleur belangrijker was... Ze zou wel zien hoe het liep. Als zich een goede gelegenheid voordeed zou ze deze niet voorbij laten gaan.
Ze knapte zich wat op en legde de afdruk van de echo in de la van haar kast. Beneden zag ze dat de auto van Jean Luc was verdwenen. Nog naar zijn werk waarschijnlijk. Zijzelf had de hele dag vrij genomen. Ze zou dus Robin uit school halen. In principe was hij dit weekend bij haar. Hoewel daar niet meer zo streng de hand aan werd gehouden want slapen deed Robin bijvoorbeeld in zijn eigen kamer. Eigenlijk was het een rare regeling, dacht ze, toen ze in haar auto zat. En als er straks een baby was werd het nog vreemder. Jean Luc wilde dat ze het kind samen zouden opvoeden. Hoe stelde hij zich dat voor als hij tegen die tijd weer ergens anders woonde? Ze wist niet of hij echt naar andere woonruimte zocht. Zij zou zich veel prettiger voelen als hij niet zo dichtbij woonde. Voor Robin zou het echter steeds ingewikkelder worden.
Toen ze Robins verraste gezicht zag werd ze daar even helemaal blij van. Het zou vast een schok voor hem zijn als hij wist dat er een kindje bij kwam. Ondanks alle verwikkelingen was hij nog steeds sterk aan haar gehecht. Zij was degene die altijd zou blijven dat wist hij instinctief. Als de baby er eenmaal was zou ze haar aandacht meer moeten verdelen. Voor Robin zou dat moeilijk zijn,hij zou denken dat hij minder belangrijk voor haar was.
„Moest je niet werken?" vroeg het kind die gewend was dat Frances hem kwam halen.
„Ik heb vandaag vrij."
„Jean Luc ook?"
„Jean Luc is naar zijn werk." Robin zag hen steeds meer als een twee-eenheid. Hij vroeg echter niet verder.
Ze dronken samen thee en hij vertelde van alles over de afgelopen dag. Toen hij op een gegeven moment zei dat

Jimmy uit zijn klas een broertje had gekregen, dacht Linde dat er voorlopig geen beter moment zou komen om hem een beetje voor te bereiden.
„Zou jij het leuk vinden als je ook een broertje of zusje kreeg?" vroeg ze.
„Dat kan niet," antwoordde hij prompt. Ze keek hem aan. Was hij dan al zover in kennis van bepaalde zaken zonder dat zij ervan wist? „Waarom niet?" vroeg ze.
„Daarvoor moet je een man hebben. Je moet getrouwd zijn, zegt Roel."
Aha, het was Roel die het kind had voorgelicht.
„Jouw moeder was ook alleen," zei ze.
„Niet toen ik werd geboren en de tijd daarna. Toen was Jean Luc er, dat zegt hij zelf. Hij weet daar nog heel veel van."
Linde zuchtte. „Nu is Jean Luc er ook."
„Maar je bent niet met hem getrouwd," herhaalde het kind koppig. „Er zijn altijd moeders én vaders."
Linde hoorde aan zijn stem dat hij een beetje in de war begon te raken. Dat was wel het laatste wat ze wilde.
„Je hebt natuurlijk gelijk" zei ze daarom en vond zichzelf een lafaard. Maar ze zag even geen uitweg uit dit dilemma.
„Was Jimmy blij met zijn broertje?" vroeg ze.
Hij keek haar een beetje achterdochtig aan toen hij antwoordde: „Hij vond er niet veel aan. Iedereen zei voortdurend dat het zo lief was en vroeg of hij niet blij was. Ze kwamen met cadeautjes en soms kreeg hij ook wat. Dat was wel leuk. Hij trakteerde op beschuit met muisjes. Maar Jimmy vond dat ze wel veel drukte maakten om zo'n klein kind dat nog helemaal niets kon. Juf zei dat hij erg stoer deed en hij moest een mooie kaart voor zijn moeder meenemen. Mag ik nog een koekje?"
Linde knikte, blij dat hij het onderwerp losliet. Het was natuurlijk heel goed mogelijk dat het eerste deel van hun

gesprek hem op een ongelegen moment weer te binnen schoot.
Ze zou zich toch eerst beter moeten voorbereiden. Maar dan nog was het moeilijk. Robin was niet met een enkele mededeling tevreden.
Robin was nog op toen er die avond werd gebeld. Wie kon dat zijn? Ze opende de deur en daar stond Fleur.
„Wat kom je doen?" vroeg Linde naar de bekende weg.
„Ik kom voor Jean Luc. Jullie hebben een gezamenlijke voordeur, wat dat in jullie situatie ook mag betekenen."
De deur aan de andere kant van de gang werd nu geopend. Door Jean Luc.
„Fleur, kom binnen. Sorry Linde, ik had jou niet willen laten lopen."
Linde keek hem aan. „Denk je dat ik niet kan lopen of dat niet wil?"
Fleur was inmiddels al in Jean Lucs kamer verdwenen.
„Ik had haar gevraagd even op mijn raam te tikken. Ik heb het kennelijk niet gehoord."
„Of ze is het vergeten," zei Linde. Aan haar toon was te merken dat zij ervan uit ging dat het 'vergeten' met opzet was gebeurd.
„Waarom komt zij hier?" vroeg Robin die achter haar stond.
„Ze komt gewoon op bezoek." Jean Luc maakte aanstalten om te verdwijnen.
„Zij komt hier toch niet ook wonen?" riep Robin paniekerig.
„Nog altijd even onopgevoed," zei Fleur die de deur weer had geopend. Linde duwde Robin nu zachtjes de kamer in en sloot de deur.
„Jij vindt het ook niet leuk dat ze hier komt," constateerde Robin.
Linde antwoordde niet direct. Er kwam vandaag wel veel

op haar af. „Nee, ze is mijn vriendin niet," zei ze. Ineens moest ze aan Katja denken. Zij was wel haar vriendin. Ze besloot haar die avond te bellen. Ze moest gewoon even met iemand praten.
Later, toen Robin in bed lag, vroeg ze zich af of ze Katja alles zou vertellen. Zij was zo heel anders dan zijzelf. Maar wat wilde ze dan? Iemand die haar in alles gelijk gaf?
Ze wilde een persoon die een heldere kijk op de zaken had. Want zij wist zo langzamerhand niet meer hoe ze moest handelen. Ze had door het raam gezien dat Fleurs auto er nog steeds stond. Misschien bleef ze wel slapen.
Die laatste gedachte deed haar naar de telefoon grijpen.
Katja reageerde verrast. „Ik dacht al, na die ene avond heeft ze er zeker genoeg van."
„Sorry, ik heb je verwaarloosd," gaf Linde toe. „En nu zit ik pas echt in de problemen."
„Zal ik naar je toekomen?"
„Als je wilt."
„Natuurlijk. Ik ben er met een half uur."
Linde haalde opgelucht adem. Ze hoefde vanavond niet alleen te zitten, met haar oren gespitst op elk geluid uit de kamer van Jean Luc.
Katja was er inderdaad snel.
„Ik vertel je al die weken niets, terwijl jij geregeld vraagt of er iets is, en dan ineens zie ik het niet meer zitten en jij komt onmiddellijk aanrennen," zei Linde schuldbewust.
„Nou, zo braaf ben ik heus niet. Ik ben gewoon nieuwsgierig. „ lachte Katja. Het leek Linde of alle problemen in haar bijzijn wat minder groot waren.
„Ik kon mijn auto niet kwijt. Er staan drie auto's voor je huis."
Linde knikte. „Van mij. Van Jean Luc en van een vriendin van hem."

„Lieve help, heeft hij een vriendin?”
„Het is iemand die hij al lang kent. Ik vertelde jou toch over Fleur.”
„Ja. En je zei erbij dat het verleden tijd was.”
„Blijkbaar toch niet. Wil je koffie?”
Katja liep met haar mee naar de keuken. „Ik had echt gedacht dat het iets zou worden tussen jullie. Maar jij wilde niet echt, heb ik begrepen,” zei Katja.
„Nu wel,” zei Linde tot haar eigen verbazing.
„En als ik eerlijk ben, weet ik dat ik al heel lang verliefd op hem ben. Vroeger al, toen hij met Sofie was. Maar je begrijpt dat ik dat mezelf niet toestond.”
„Uiteraard niet, jou kennende. Maar nu dan... Linde, ik begrijp je niet. Het is al met al ook nog eens een prachtige oplossing. De vader van Robin, wie had je beter kunnen treffen?”
„Ik vind dat dit niet kan tegenover Sofie. Hij heeft haar in mijn ogen niet goed behandeld.”
„Sofie is er niet meer. Denk je nou echt dat jij, door een misplaatst soort trouw aan haar, de liefde van je leven mis moet lopen?”
Linde dacht aan haar zusje zoals ze was geweest voor ze ziek werd: „Pluk de dag. En als je verliefd werd, dan was er verder niets belangrijk,”
„Misschien heb je gelijk,” zei ze zacht. „Maar ik ben bang dat het nu te laat is. Ik ben zwanger.”
Dit maakte Katja heel even sprakeloos. Dan zei ze langzaam: „Ik neem aan dat het niet van Jean Luc is.”
„Natuurlijk is het wel van hem.”
Katja hief haar handen omhoog alsof ze iemand om hulp riep. „Nu snap ik er niets meer van.”
„Ik zei je toch dat er nogal wat gebeurd is.” In het kort vertelde ze van die ene keer na de boottocht, zonder al te veel op details in te gaan.

Maar Katja kon tussen de regels door lezen. „En sindsdien schaam jij je dat je het zover liet komen."
Linde ging hier niet op in, vertelde van het bezoek vanmorgen aan het ziekenhuis.
„Maar hij is toch duidelijk heel erg betrokken. Ik zie niet in wat het probleem is."
„Waarom vraagt hij dan Fleur op bezoek?"
Katja maakte een gebaar dat dat er niets toe deed. „Denk toch na. Je hebt gemerkt dat hij je heel graag mag, en dat is nog zacht uitgedrukt. Hij is de vader van Robin en van je ongeboren kindje. Dan heeft hij nu een kennis op bezoek, die misschien zichzelf wel heeft uitgenodigd. Linde, je bent gestoord als je hem laat lopen."
„Ja, als je het zo stelt."
„Maar dat zijn toch de feiten! Weet je wat ik in jouw geval had gedaan? Ik had hen vanavond allebei op de koffie gevraagd en ik had vrijuit gepraat over mijn zwangerschap en de echo laten zien."
„O Katja," zei Linde half lachend.
„Het is toch een eerlijke zaak. Daarbij, de tijden zijn allang veranderd, Linde. Jij kunt gewoon tegen hem zeggen dat je verliefd op hem bent. Waarschijnlijk heeft hij dat al lang door. En dan gaan jullie echt samenwonen en de kinderen opvoeden."
„Stel dat hij mij ook laat zitten, zoals Sofie," tobde Linde.
„Jij bent Sofie niet. Daarbij lag het misschien ook wel aan je zusje. Ik herinner me haar als een luchthartig persoontje. Misschien had zij een ander. Weet jij veel?"
Ik weet alles, dacht Linde, overigens niet van plan haar zusje te verraden.
„Ik wilde dat ik zo gemakkelijk in het leven stond als jij," zuchtte ze.
„Het hoeft niet hetzelfde. Maar een beetje luchtiger mag wel."

„Ik ben blij dat je bent gekomen," zei Linde toch enigszins opgelucht.
„Ga je hem nu zeggen hoe de zaken er werkelijk voor staan?"
„Even kijken hoe het verder gaat."
Katja lachte, maar ze drong niet verder aan. Ze had gezegd hoe ze erover dacht en het was nu aan Linde om de zaken anders aan te pakken. Als een en ander echter zo voort bleef slepen zou ze Jean Luc misschien een kleine hint kunnen geven.
Linde had haar vriendin net uitgelaten toen ze ook Fleur hoorde vertrekken. Jean Luc liep met haar mee naar de auto en ze moest zich bedwingen om niet door een kier van de gordijnen te gluren. Stel dat hij met haar meeging. Tot haar opluchting hoorde ze hem even later terugkomen. Voor ze zich kon bedenken opende ze de deur van haar kamer. „Kom je nog even?" vroeg ze. Even dacht ze dat hij zou weigeren, maar hij volgde haar toch de kamer in. Hij keek naar de twee kopjes maar zei niets. Waarschijnlijk interesseerde het hem totaal niet wie ze op bezoek had gehad, dacht ze, alweer in mineur.
„Het gaat over Robin. Ik vroeg hem hoe hij het zou vinden als er een broertje of zusje kwam. Hij was niet enthousiast. Hij vindt dat wij getrouwd moeten zijn."
„We hadden afgesproken dat wij hem hierover samen zouden inlichten," zei hij strak.
„Ik dacht dat het een goede gelegenheid was. Hij begon zelf over een klasgenootje dat een broertje had gekregen."
„Je had moeten wachten. Dit gaat ook mij aan, al zou jij dat het liefst ontkennen."
Dit ging helemaal de verkeerde kant op, dacht Linde. „Nee nee, ik heb het hem nog niet echt verteld. Hij raakte er van in de war. En aangezien jij bezoek had kon ik jou er niet bij roepen."
„Ik heb het Fleur verteld," zei hij kalm.

„Waarom in vredesnaam?"
„Omdat ik er blij om ben. Hoelang wil jij dit nog voor iedereen geheim houden, Linde? Het is net of jij het feit voortdurend wilt ontkennen."
Ze keek hem aan, hield zijn blik vast toen ze zachtjes zei: „Maar ik ben er ook blij om, Jean Luc."
„Heb je niet het gevoel dat je de verkeerde vader voor het kind hebt gekozen?"
„Ik zou niemand anders willen," zei ze bijna onhoorbaar.
„Misschien kun je wat dichterbij komen, zodat ik je beter kan verstaan."
„Je hebt me best gehoord," zei ze, niet van plan deze moeilijke bekentenis nog een keer te herhalen. Hij strekte zijn hand naar haar uit en ze ging naast hem zitten.
„Je wilt dus mijn kind. Mag ik hier uit afleiden dat je van me houdt? Ik bedoel, je zou toch niet blij zijn dat je mijn kind krijgt als je niet van me hield?"
„Ik geloof dat je dit laatste wel mag aannemen," zei ze zacht.
Hij schoot in de lach. „Wat kun je soms toch heerlijk formeel zijn."
„Vooral als ik verlegen ben," gaf ze toe. Hij trok haar dicht tegen zich aan.
„Ik heb wel lang moeten wachten. Wie of wat heeft je over de streep getrokken?"
„Fleur en Katja," mompelde ze.
„Fleur? Wat heeft ze tegen je gezegd?"
„Niets. Het was meer omdat ze bij jou op bezoek kwam. Ik dacht dat ze zou blijven slapen."
Ze voelde hem lachen en keek verontwaardigd naar hem op. Ze zag de lichtjes in zijn ogen.
„Zie je, zij wilde dat wel geloof ik. Maar toen ik haar vertelde dat wij samen een baby zouden krijgen, besloot ze toch haar eigen bed maar op te zoeken."

„Blijf dan nu maar hier," zei ze. Ze wilde opstaan maar hij hield haar stevig vast.
„Hoe bedoel je? Nog iets drinken?"
Hij begreep haar best. Even flitste er een gedachte aan Katja door haar heen, toen gooide ze eruit: „Ik zou graag willen dat jij bij me blijft slapen als jij dat ook wilt."
Hij zat heel stil. „Dat vind ik een prima idee. Mag ik vragen waarom je zo opeens over een drempel stapt? Hebben wij dat allemaal aan Fleur te danken?"
„Nee. Ik dacht, er is zoveel spanning tussen ons."
„O, het is bij wijze van therapie."
„Nee." Ze rukte zich plotseling los. „Jij..." Ze zag zijn ogen en liet toe dat hij haar opnieuw tegen zich aan trok. „Ik wil het heel graag," fluisterde hij.

De volgende morgen werden ze wakker toen Robin de slaapkamer binnenkwam. Het was zijn gewoonte om in het weekend nog even bij Linde in bed te kruipen.
„Wat doen jullie?"
„Wij hebben bij elkaar geslapen," zei Jean Luc rustig.
Er verscheen een frons boven Robins ogen. „Gaan jullie dat voortaan altijd doen?"
„Dat zou best kunnen," antwoordde Linde.
„Kom maar even bij ons, we moeten je wat vertellen," voegde Jean Luc er aan toe.
Robin ging op de rand van het bed zitten. Hij wist kennelijk niet goed raad met deze situatie. Hij zat rechtop, zijn handen tussen zijn knieën en ineens vond Linde hem er heel verloren uitzien.
„Wat is er dan?" vroeg het kind, haar aankijkend.
„Linde en ik krijgen een kindje," zei Jean Luc.
„Waarom is dat?" Het klonk afwerend en hoewel Linde niet direct enthousiasme had verwacht voelde ze zich toch een beetje geraakt.

„Omdat we van elkaar houden. Een man en een vrouw die samen zijn worden vaak papa en mama," zei Jean Luc.
„Willen jullie dus een ander kind?"
„Maar jij blijft hier ook. Het wordt een broertje of een zusje voor jou. Jean Luc is immers ook jouw papa," probeerde Linde hem gerust te stellen.
„Misschien is dat wel niet zo," zei Robin terwijl hij opstond. Hij liep de kamer uit en Linde had erg met hem te doen. Hij zag er zo breekbaar en eenzaam uit. Maar wat kon ze meer zeggen of doen? „Hij zal er toch aan moeten wennen," zei Jean Luc nuchter. „Hij heeft zolang alle aandacht gehad. Het kan wel eens moeilijk voor hem zijn." Hij ging overeind zitten en keek haar met een glimlach aan. „Je kijkt zo zorgelijk. Je hebt het goed gedaan, Linde. Hij heeft jaren een vader gemist en ik voel me daar schuldig over. Maar ik kan daar niets meer aan veranderen. Ik kan alleen van hem houden. Het komt goed, ik weet het zeker."
De eerste dagen merkten ze daar echter niets van. Robin was stil en bleef bij hen uit de buurt. Toen Linde hem een keer meenam naar de kleine slaapkamer en hem vertelde dat dit de kinderkamer zou worden, tuurde hij uit het raam en schopte tegen de plint. „Luister je wel?" vroeg ze. Toen draaide hij zich om en even later hoorde ze hem de trap afrennen. Ze staarde verdrietig voor zich uit. Hoe moest ze dit nu toch aanpakken? Zijn gedrag overschaduwde de blijdschap dat Jean Luc er nu echt voor haar was. Het was of ze nauwelijks aan zichzelf toekwamen. Jean Luc merkte heel goed hoe Linde onder deze stemming leed en op een morgen werd het hem even teveel. Toen Linde het kind vriendelijk vroeg wat hij wilde, toast of gewoon brood, zei hij nors: „Ik kan het zelf wel. Je hoeft niet alles voor mij te doen. Als er straks een ander kind is heb je ook geen tijd meer."

Een beetje verslagen keek Linde hem aan, maar Jean Luc werd boos en snauwde: „Hoor eens, Robin. Linde zorgt al bijna twee jaar heel goed voor jou. Waarom kun je niet gewoon blij zijn dat wij een echt gezin worden?"
„Het is toch geen echt gezin. Jij bent misschien wel niet mijn vader en Linde is niet mijn moeder."
„Linde is niet je moeder, maar ze heeft wel als een moeder voor jou gezorgd. Ik ben lange tijd weg geweest. Maar ik ben wel je vader. Niet heel de wereld draait om jou, Robin. Wij houden van je, maar je kunt ons niet beletten om ook van het nieuwe kindje te houden."
Robin schoof zijn bord van zich af. „Ik wil niet eten."
„Nou, dan eet je maar niet." Jean Luc keerde zich van hem af en zei er niets van toen Robin van tafel opstond.
Robin ging naar zijn kamer en zocht wat spullen bij elkaar voor school. Het kon Jean Luc niets schelen of hij iets at. En als je niet at ging je dood. Maar als Jean Luc dan toch niets om hem gaf, dan bleef hij hier ook niet langer.
Dat nieuwe kindje was echt van hen samen. Hij niet. Hij liep zachtjes de trap af, pakte zijn jas van de kapstok en verdween geruisloos naar buiten. Hij kon heus wel alleen naar school. Hij pakte zijn jongensfiets uit de garage en reed weg. Het eerste stuk trapte hij heel snel, alsof hij zijn boosheid en verdriet daarmee weg wilde duwen. Maar het lukte niet. Zijn ogen waren zo verblind door tranen dat hij niet op het rode licht lette. De auto kon het kind niet meer ontwijken en hoewel de wagen nog geen snelheid had, kwam Robin toch met een smak op de straat terecht.

„Ik weet gewoon niet hoe ik hem moet aanpakken," zuchtte Linde. „Ik zal hem teveel verwend hebben, Jack had het daar ook altijd over."
„Het grote verschil is dat Jack zijn vader niet is. Hoewel

Robin blijkbaar blijft twijfelen aan dat vaderschap van mij. Als hij ouder was zou ik een DNA-test laten doen. Die ene opmerking van Fleur heeft wel diepe indruk op hem gemaakt. Ik zal nog eens met hem praten. Ik breng hem wel naar school."
Toen ze klaar waren met ontbijten riep hij Robin. „Kom, we gaan naar school." Er kwam echter geen antwoord.
„Koppig is hij ook," bromde Jean Luc terwijl hij met twee treden tegelijk de trap nam. Een minuut later was hij alweer beneden. „Hij is er niet en zijn schooltas is ook weg."
„Verdorie, hij weet dat hij niet alleen mag." Linde haastte zich naar buiten, om te ontdekken dat Robins fiets weg was.
„Hij mag niet alleen. Hij is pas acht jaar. Hij moet een kruispunt over en..." Ze was bijna in tranen en Jean Luc legde kalmerend een hand op haar schouder. „Hij heeft dit al zo vaak met een van ons gedaan. Hij zal heus wel voorzichtig zijn. Ik ga hem nu achterna en ik zal je bellen als hij veilig op school is."
Linde knikte en ging naar binnen waar ze automatisch de ontbijttafel begon af te ruimen.
Ze moest over een half uur naar kantoor, maar ze wilde eerst zeker weten dat Robin veilig op school was aangekomen. Toen de telefoon ging zei ze alleen: „Ja?"
„Linde!" Ze klemde haar hand om de tafelrand. Er was iets in Jean Lucs stem wat haar hevig verontrustte.
„Je kunt beter hierheen komen."
„Waarheen? Naar school? Waarom?"
„Hij heeft een aanrijding gehad. Ik ben in het ziekenhuis, maar ik weet nog niks."
Linde legde de telefoon neer en schoot in haar jas. Even later zat ze in de auto. Ze probeerde zichzelf onder controle te krijgen door diep adem te halen. Ze moest kalm

blijven voor haar kindje. Jean Luc wist niets. Ook niets negatiefs. Robin leefde in elk geval nog. Als het tegenovergestelde waar was zou Jean Luc dat weten. Ze moest echt rustig blijven anders kreeg ze zelf ook nog een ongeluk. Ze hield zich stipt aan de maximumsnelheid, haar ogen strak op de weg gericht.
Het kostte haar twintig minuten om bij het ziekenhuis te komen. Ze parkeerde haar auto zorgvuldig en dwong zichzelf rustig te lopen. Jean Luc stond in de hal te wachten en ze viel haast tegen hem aan.
„Het spijt me dat ik je hiermee zo overviel. Maar ik wist niet hoe ik het voorzichtig moest zeggen."
„Hoe is het nu met hem?"
„Ze zijn hem aan het onderzoeken. De ambulance reed net weg toen ik er aan kwam. Toen zag ik zijn fiets liggen. Uit wat de chauffeur zei begreep ik dat het Robin moest zijn. De bestuurder van de auto is hier ook. Hij kon niet verder rijden. Robin reed zonder te kijken door het rode licht. Linde, het is mijn schuld. Ik heb hem van streek gemaakt."
Ze ging er niet op in. Ze begreep waarom hij dat dacht. In zijn plaats zou ze ook zo denken. Ze liepen naar de wachtkamer en gingen op één van de banken zitten.
Jean Luc legde een arm om haar heen, maar ze voelde hem beven. Ook zijzelf kon niet ophouden met trillen. Toen er een zuster naar hen toekwam konden ze haar alleen aanstaren.
„Komt u maar even mee naar de dokter," zei ze vriendelijk. Linde wilde van alles vragen maar ze zweeg. Het zou geen zin hebben. Als de zuster al iets wist zou ze toch niets zeggen.
Ze werden in een kamer gelaten waar de arts achter een bureau zat.
„Zo, gaat u zitten. Het jochie heeft een flinke smak gemaakt, maar ik denk dat het meevalt. Hij is gelukkig

niet op zijn hoofd gevallen. Je kunt beter armen en benen breken dan op je hoofd vallen."
„Wat heeft hij precies?" vroeg Jean Luc die geen zin had in algemeenheden.
„Hij heeft veel kneuzingen en ook zijn ribben zijn flink geraakt. Daardoor heeft hij last bij diep ademhalen en hoesten. Een gebroken enkel. We houden hem een dag en een nacht hier ter observatie. Waarschijnlijk mag hij morgen naar huis. Loopt u even mee."
Ze volgden de arts, nog steeds bevend. Het was of ze deze opluchting niet direct konden verwerken.
Robin lag met de ogen gesloten en zag bijna doorschijnend bleek. Jean Luc fluisterde zijn naam. Het kind opende de ogen en een klein lachje verhelderde zijn gezicht. „Papa."
Toen Jean Luc dit hoorde, kon hij niet verhinderen dat de tranen over zijn gezicht liepen. Robin had hem nog nooit op die manier aangesproken. Linde begreep zijn ontroering, ze had het zelf ook te kwaad. Ze greep Robins hand en gaf er een kneepje in. „We zijn zo ontzettend geschrokken," zei ze zacht.
„Het was denk ik wel mijn eigen schuld. Ik weet het niet meer zo goed."
„Je mag morgen weer naar huis. Maar je moet wel een weekje thuisblijven van school," zei Jean Luc.
„Ben ik dan alleen thuis als jullie werken?"
„Dan nemen we om de beurt vrij." zei zijn vader.
„O. Jij bent echt heel erg geschrokken, hè?"
„Ja, dat kun je wel zeggen." Jean Luc kreeg het alweer te kwaad. Het kind keek van de een naar de ander. „Ik denk dat je dan toch mijn echte vader bent," zei hij tevreden. En dan: „Wil je mij toch een keer mee naar school nemen? Ik heb rood gips." Hij probeerde het dek weg te duwen maar had daar nogal moeite mee.

„Het ziet er prachtig uit," glimlachte Linde. „We gaan dat zeker een keer op school laten zien."
Robins ogen vielen al bijna dicht toen hij plotseling vroeg: „Blijven jullie nu samen?"
Ze keken elkaar aan en pakten elkanders hand vast. „Ik ga Linde vragen met me te trouwen," zei Jean Luc.
Robins ogen vlogen open. „Echt waar? Wil je dat wel, Linde? Dan zijn we echt een familie. Met een vader en een moeder en een kind. En nog eentje er bij." Zijn stem zakte weg en even later sliep hij.
Toen ze door de gang liepen zei Linde: „Je pakt het wel handig aan. Nu moet ik wel ja zeggen."
„Ik wist dat je dat zou doen," zei hij kalm. Ze gaf hem een duwtje en hij trok haar dicht tegen zich aan. „Maar ik ga het je nog een keer vragen. Linde, wil je met me trouwen, zodat we een echt gezin worden?"
Ze keek in zijn bruine ogen en wist dat ze niets liever wilde. En dat zei ze hem.
Eenmaal in de auto zei Jean Luc: „Dat hadden we op de heenweg nooit kunnen denken. Dat het ongeluk van Robin voor een nieuw begin zou zorgen."
„Als Sofie dit wist..." begon ze.
Hij antwoordde niet maar toen hij niet de richting naar huis insloeg had ze een vermoeden waar hij heen wilde.
Een half uur later stopte hij bij de begraafplaats. Met de armen om elkaar heen stonden ze bij de steen. „Eenentwintig jaar, wat was ze nog jong," zei Jean Luc.
„Ze hield veel van je," zei Linde.
„Ja. Ze hield ook van jou. Daarom zal ze blij zijn voor ons, denk je niet?"
„Wij samen. Haar zoon een veilig thuis bij zijn vader en bij haar zusje." Linde legde haar hand tegen de steen die warm aanvoelde door de zon. In een struik vlakbij begon een lijster te zingen.

„Waar ze ook is, ik denk dat ze weet van ons samen en dat het haar gelukkig maakt," zei Jean Luc stellig.
Langzaam liepen ze terug naar de auto. „Door Robin zal ze altijd bij ons zijn," zei Jean Luc nog.
Het was goed zo, dacht Linde. Ze kon het verdriet om Sofie eindelijk loslaten en gelukkig zijn met degenen die zij had nagelaten. En met het kindje dat ze verwachtte. Een nieuw leven.
„Als het een meisje is, noem ik haar Sofie," zei ze.
„Natuurlijk." Jean Luc stemde daar zonder aarzelen mee in.
Ze keken elkaar aan en Linde wist dat ze eindelijk een veilig thuis had gevonden. Voor zichzelf en voor Robin.